Petra Kasch
Bye-bye, Berlin

Petra Kasch

BYE-BYE, BERLIN

Ravensburger Buchverlag

Bibliografische Information der Deutschen Nationalbibliothek:
Die Deutsche Nationalbibliothek verzeichnet diese Publikation
in der Deutschen Nationalbibliografie.
Detaillierte bibliografische Daten sind im Internet
über *http://dnb.d-nb.de* abrufbar.

1 2 3   11 10 09

© 2009 Ravensburger Buchverlag
Otto Maier GmbH

Umschlaggestaltung: Sabine Reddig
unter Verwendung eines Fotos von
Muriel de Seze, getty images
Redaktion: Jo Anne Brügmann

Printed in Germany

ISBN 978-3-473-34791-9

www.ravensburger.de

Für L.

Vielleicht wäre alles anders gekommen, wenn sie sich nicht auf dieses Versprechen eingelassen hätte. Oder wenn sie später zumindest nicht mehr daran geglaubt hätte. Denn dieses Versprechen galt vor allem ihr – in jenem Sommer, als viele Familien ihre Kinder über die Zäune der bundesdeutschen Botschaft in Prag zerrten, um in den Westen zu fliehen. Drei Monate, bevor die Mauer fiel.

Aber von alledem hatte Nadja an jenem Augustmorgen noch nichts gewusst, als sie sich zum Leuchtturm aufmachten und plötzlich ein Sturm über der Ostsee heraufzog. Ihre Mutter wollte lieber zurück, doch ihr Vater war fürs Weiterlaufen. Nadja sollte es dann wieder entscheiden. So war es immer, wenn ihre Eltern sich nicht einig wurden. Und Nadja war wie immer fürs Weiterlaufen.

Als sie dann endlich den Turm erreicht hatten, schlugen die Wellen bereits zwei Meter hoch und überfluteten fast völlig den Strand. Schwere Äste und Strandgut wirbelten durch die Luft. Da wünschte Nadja, sie hätte auf ihre Mutter gehört. Denn die letzten Meter mussten sie fast kriechen, sonst hätte der Sturm sie in die Ostsee gerissen.

An der Turmtür hing ein verblichenes Schild – Montag Ruhetag. Da verlor Nadjas Mutter ein wenig die Nerven. Und Nadja auch. Sie hielten sich beide fest umarmt, denn die Wellen rollten jetzt auch über den Turmweg hinweg und schnitten ihnen den Rückweg zum Ufer ab.

Der Einzige, den das alles nicht beeindruckte, war Nadjas Vater. Lächelnd durchsuchte er seine Hosentaschen und brachte ein Taschenmesser zum Vorschein, mit dem er das kleine Vorhängeschloss an der Tür aufbrach.

So haben sie eine ganze Nacht allein auf dem Leuchtturm verbracht. Eingewickelt in kratzige Rettungsdecken hockten sie um ein altes schnarrendes Radio und lauschten den Nachrichten. Draußen ging die Welt unter, aber Nadja war in Sicherheit. Ihre Eltern würden sie nicht über einen fremden Botschaftszaun zerren. Zu ungewiss erschien ihnen der Ausgang dieser Aktion. Und sie gaben sich ein Versprechen: Niemand würde das Land verlassen, wenn auch nur einer von ihnen in Gefahr geriet. Sie blieben zusammen, egal was passierte.

Nadja war damals acht. Sie sind geblieben. Aber das Land ist fortgegangen.

1

Das Telefon schrillt durch die dämmrige Wohnung. Nadja hebt verschlafen den Kopf. Warum geht denn ihr Papa nicht ran? Sie lauscht. Das Telefon gibt nicht auf. Gähnend kriecht Nadja unter der Decke hervor und wirft einen Blick in das Zimmer ihres Vaters. Doch sein Bett ist leer. Vielleicht ist er wieder vor dem Fernseher eingeschlafen.

Mit nackten Füßen tappt sie über die kühlen Dielen. In der ganzen Wohnung hängt kalter Zigarettenrauch. Sie zieht sich ihr T-Shirt bis zur Nase hoch. Der Wohnzimmertisch steht voll leerer Weinflaschen. Alte Schwarz-Weiß-Fotos liegen dazwischen verstreut. Aber auch hier ist ihr Vater nicht. Nicht in der Küche und auch nicht im Bad. Das Telefongeläute kommt ihr überallhin nach. Plötzlich verstummt es.

Nadja stellt sich im Wohnzimmer ans Fenster. Das kleine Bierlokal gegenüber hat schon lange zu. Die Tische und Stühle sind mit Ketten aneinandergeschlossen. Auch dort ist er nicht. Wo steckt er bloß? Sie schaut in den Flur ans Schlüsselbrett. Sein Wohnungsschlüssel fehlt. Da schrillt das Telefon wieder los. Vielleicht ist ihm etwas passiert?

Sie kauert sich vor das läutende Telefon, die Knie dicht unters Kinn gezogen. Oder ist es Mama? Seit sie vor einem halben Jahr ausgezogen ist, ruft sie manchmal auch nachts an. Sie wartet noch immer auf Nadjas Entscheidung.

Nadja nimmt zögernd den Hörer ab und sagt leise: „Ja, Thamm."

„Frau Thamm, hier ist die Polizei!", poltert ihr eine dunkle Stimme entgegen. Vor Schreck lässt sie den Hörer fallen.

„Frau Thamm, sind Sie noch dran?"

Nadja hebt den Hörer mit zitternden Händen wieder auf. „Hier ist Nadja Thamm", sagt sie.

„Einen Augenblick, bitte", erwidert die Stimme.

Dann hört sie ihren Vater. „Nadja?" Ihr Herz klopft bis in den Hals hinauf. Am anderen Ende ist ein Räuspern zu hören. „Nadja", redet ihr Vater mit seltsam fremder Stimme, „tust du mir einen Gefallen?" Er schweigt einen Moment.

Nadja spürt jede einzelne Rille der abgeschliffenen Dielen unter ihren nackten Füßen.

„Kannst du mir Schuhe vorbeibringen?"

Sie versteht kein Wort. Wieso denn Schuhe vorbeibringen?

„Ich bin auf dem Polizeirevier in der Bergstraße", sagt er leise. „Bitte, komm gleich." Dann legt er auf.

Nadja starrt aus dem Fenster. Draußen wird es langsam hell. Bei der Polizei ist er? Etwa verhaftet? Sie geht in die Küche. Auf dem Tisch steht noch immer das Abendessen. Die Brote ihres Vaters haben sich in der Wärme schon nach oben gebogen und die Wurst ist schmierig geworden. Sie hat lange auf ihn gewartet und dann allein gegessen. Er ist wohl gar nicht erst nach Hause gekommen. Vielleicht hat er ja vergessen, dass sie ihr Zeugnis bekommen hat.

Sie schaut nach den Briefen, die am Nachmittag in der Post waren. Die liegen noch immer ungeöffnet neben seinem Teller. Einer ist vom neuen Eigentümer aus Westberlin, der ihr Haus gekauft hat. Sie weiß schon, was darin steht. Sie sollen aus der Wohnung raus, weil ihr Vater mit der Miete im Rückstand ist.

Nadja hockt sich auf ihren Stuhl. Als Mama noch da war, haben sie immer ihr Zeugnis gefeiert. Nun sitzt sie ganz allein da. Mama ist in Hamburg. Und ihr Vater bei der Polizei. Schöne Ferien!

Plötzlich wird sie wütend. Soll er doch bleiben bei der Polizei! Ohne Schuhe. Und für immer! Dann muss sie wenigstens nicht mehr lügen, wenn Mama anruft und wissen will, ob sie klarkommen.

Mama ist einfach gegangen. Genau wie ihre Nachbarn. Seit es die Grenze nicht mehr gibt, wollen alle in den Westen. Und ich?, denkt Nadja. Sie ist bei ihrem

Vater geblieben, weil sie ihn nicht im Stich lassen wollte. Weil sie noch immer an ihr altes Versprechen glaubte.

Sie blickt sich um. In der ganzen Wohnung stapeln sich bis an die Decke Fotos über Fotos in verstaubten Kartons und Schubern. Nadja gibt einem der Regale einen Tritt. Eine Kiste stürzt von oben herab. Hunderte von Fotos segeln zu Boden. Fotos vom Abriss der Mauer vor sechs Jahren, von den langen Menschenschlangen an den Grenzübergängen und vernagelten Geschäften, die seitdem in Ostberlin pleitegingen. Fotos, die heute niemand mehr sehen will. Mama nicht. Und Nadja auch nicht.

Sie rennt in ihr Zimmer und wirft sich in einen Sessel. Wenn nun aus der versprochenen Ferienreise nichts wird? Biggi hatte vielleicht geguckt, als sie ihr erzählte, dass Timm mitkommen darf. Und nun? Ihre Freunde werden sie auslachen. Und was wird erst Timm sagen? Ohne Papa kein Urlaub, so viel steht fest. Sie hat keine Wahl.

Seufzend erhebt sie sich und macht sich auf die Suche nach ein paar Schuhen. Auf dem Regal im Flur liegt eine dicke Staubschicht. Die Schuhe darin zieht eigentlich keiner mehr an. Da stehen alte ausgelatschte Treter ihres Papas und die zu klein gewordenen von Nadja. Und Mamas Schuhe, die sie nicht nach Hamburg mitgenommen hat. In diesem staubigen Haufen mag sie nicht herumgraben.

Auf dem Schrank im Schlafzimmer liegen in einem

Koffer Papas Winterstiefel. Sie rückt einen Stuhl an den Schrank und steigt hinauf. Ihr fällt ein weiterer Stoß Fotos entgegen, als sie den Koffer herunterzerrt. Muss er eben im Sommer Stiefel tragen. Rasch zieht sie ihre Jeans an und schlüpft in die alten Turnschuhe. Dann nimmt sie in jede Hand einen Stiefel und verlässt die Wohnung.

Draußen ist noch alles still. Zum Polizeirevier muss man nur die Straße hinaufgehen. Höchstens zehn Minuten. Nadja beeilt sich. Die Sonne steigt langsam über den alten Mietshäusern auf. Aus einem Hinterhof kommt ein struppiger schwarzer Hund gelaufen. Er folgt ihr. Wenn sie stehen bleibt, bleibt auch er stehen. Sie geht schneller. Der Hund auch. Er ist nicht sehr groß. Als sie anfängt zu laufen, läuft er ebenfalls.

Die letzten Meter rennt sie und stürzt in den Flur des Polizeireviers. Laut polternd fällt das schwere Eingangstor hinter ihr zu. Der Hund draußen jault kurz auf. Dann ist es still.

Nadja steht in einem dunklen Treppenflur. Sie tastet sich an der Wand entlang zum Lichtschalter. Dabei stößt sie ein Fahrrad um, das krachend mit ihr zu Boden geht. Fluchend steht sie wieder auf. Da öffnet sich eine Tür zum Flur und Licht dringt heraus.

„Was ist denn hier los?"

Nadja stellt das Fahrrad wieder an die Wand und hebt die Stiefel auf. Der Mann schaut ihr dabei zu. Sie weiß nicht, was sie sagen soll. Der Mann ist Polizist. Vielleicht hat er ihren Papa verhaftet.

„Ich bring die Schuhe", sagt sie leise und hält sie dem Polizisten hin.

Der schaut ungläubig. „Bin ick die Heilsarmee?"

Nadja wird wütend. „Die sind für meinen Vater!"

Auf einmal grinst er nicht mehr. „Da wird sich dein Herr Vater aber freuen." Er nimmt Nadja die Stiefel ab und winkt sie herein.

Sie muss auf einem alten Holzstuhl warten, während er mit den beiden Stiefeln in irgendeinem Nebenraum verschwindet.

Nadja ist noch nie bei der Polizei gewesen. Zumindest nicht allein. Mit ihrer Mama hat sie früher einmal eine Nacht auf einem Revier gesessen. Wegen ein paar Fotos ist ihr Papa abgeholt worden, die ein Hamburger Freund für ihn heimlich über die Grenze geschmuggelt hat und dann im *Spiegel* abdrucken ließ. In der DDR war es unter Strafe verboten, ohne Erlaubnis Fotos in den Westen zu schicken. Zum Glück haben sie ihn nach einigen Tagen wieder freigelassen, weil der *Spiegel* auch einen Artikel über seine Verhaftung veröffentlichte.

Jetzt verstauben all die Fotos in ihrer Wohnung. Kein Polizist verhaftet einen heute mehr wegen ein paar Bilder. Und wegen denen von ihrem Papa sowieso nicht. Der mag nur noch Stadtstreicher und Abrisshäuser. Eigentlich hat er sich nicht geändert. Ihn interessieren immer die, die nicht im Licht stehen. Die sonst niemand sieht. Nicht mal die Polizei. Warum ist er also dann hier?

Nadja schaut sich im Raum um. Am Fenster sitzt ein junger Polizist mit kurzen Haaren und hämmert etwas in seine Schreibmaschine. Er schaut Nadja verstohlen über das Papier hinweg an. Sie spürt, wie sie rot wird, denn irgendwoher kennt sie ihn.

Rasch schaut sie zu Boden auf ihre Turnschuhe. Die Schnürsenkel sind schon ein paarmal gerissen und wieder zusammengeknotet. Vorn an den Spitzen ist die Farbe abgestoßen. Da kann sie weiße Schuhcreme draufschmieren, so viel sie will. Dabei hatte Papa ihr schon im Frühjahr neue versprochen.

Sie wagt einen kurzen Blick hoch. Der Polizist beobachtet sie noch immer. Plötzlich fährt es ihr heiß durch den Magen. Das ist Timms Bruder! In der Uniform hat sie Robert gar nicht erkannt. Na dann gute Nacht, Marie! Da weiß morgen die ganze Straße, dass ihr Papa bei der Polizei übernachtet hat.

„Hallo, Nadja!", sagt Robert, als er mit seinem Gehämmer fertig ist.

Doch ehe Nadja etwas erwidern muss, klappt die Tür zum Nebenraum und der andere Polizist erscheint. Hinter ihm läuft ihr Vater. Nadja erschrickt. Er hat ein böses Veilchenauge. Von seiner hellgrünen Cordjacke ist ein Ärmel abgerissen und am Kragen klebt Blut. Nadja streift er nur mit einem schnellen Blick und murmelt etwas, was niemand versteht.

„Also dann, Meister", sagt der Polizist. „Lassen Sie in Zukunft die Finger von den Ami-Touristen! Sind auch nur Menschen."

Nadjas Vater nickt kurz und verlässt rasch die Polizeiwache. Die Tür kracht hinter ihm ins Schloss. Nadja erstarrt auf ihrem Stuhl. Erst bringt sie ihm mitten in der Nacht Schuhe und dann behandelt er sie wie Luft!

Robert sagt schulterzuckend: „Dein Alter ist wohl immer noch blau."

Nadja unterdrückt die Tränen und stürzt hinaus. Ihr Papa ist schon ein Stück die Bergstraße hinauf. Er geht langsam. Auch Nadja geht jetzt langsam, denn sie will ihn nicht einholen. Es sind schon ein paar Leute auf der Straße. Zum Glück niemand, den Nadja kennt. Viele ihrer Freunde sind weggezogen. Entweder an den Stadtrand, weil ihre Eltern dort ein Haus bauen, oder in eine andere Stadt wegen der Arbeit. Ihre Mama ist deswegen auch weggezogen, wegen der Arbeit. Hat sie jedenfalls gesagt. Aber Nadja glaubt ihr nicht.

Ohne es zu merken, hat sie ihren Vater doch eingeholt. Stumm gehen sie nebeneinanderher. Wenn sie nicht anfängt, wird er kein Wort sagen.

„Heute ist mein erster Ferientag", sagt sie leise.

Ihr Vater schweigt.

„Du hast mir doch etwas versprochen."

Er schaut sie stirnrunzelnd von der Seite an.

„Du hast mir versprochen, wir fahren ans Meer. Zusammen mit Timm."

Er nickt. „Versprochen ist versprochen, Nadjenka."

Sie sind jetzt an ihrem Haus angelangt. Umständlich sucht er seinen Wohnungsschlüssel in der Jackentasche. „Aber erst mal muss ich ausschlafen."

Nadja huscht vor ihm die Treppe hinauf. „Na klar, erst mal ausschlafen", wiederholt sie.

Vielleicht ist ja doch noch nicht alles verloren und er hat nur vergessen, die Miete zu bezahlen. Einfach vergessen. Kann ja mal passieren. Rasch schließt sie die Wohnungstür auf. Ihr Vater poltert mit seinen Stiefeln ins Schlafzimmer und fällt schwer aufs Bett. Nadja wartet noch eine Weile an der Schlafzimmertür, doch es ist nur noch ein gleichmäßiges Schnarchen zu hören.

Unschlüssig geht sie in die Küche. Auf dem Tisch und in der Spüle türmt sich dreckiges Geschirr. Eigentlich ist ihr Vater diese Woche mit dem Abwasch dran. Aber Nadja hat Angst, er bekommt gleich wieder schlechte Laune, wenn er aufwacht und das ganze Durcheinander sieht. Dann wird er wieder daran erinnert, dass Mama weg ist.

Nadja lässt Wasser in die Spüle laufen. Ihr Magen knurrt, aber sie will zuerst sauber machen. Das hat Mama auch immer so gemacht. Das Unangenehme zuerst.

2

Nadja wäscht den halben Vormittag ab. Es macht ihr nichts aus. Sie denkt dabei an Timm. Zwei Wochen Schwarzes Meer! Ihr Vater hat einen Freund in Bulgarien. Grigori ist auch Fotograf und wohnt mit seiner Familie in einem alten Fischerhaus direkt am Meer.

Als Nadja klein war, sind sie jeden Sommer zu ihm gefahren. Grigori hat Nadjas Mutter sehr gemocht. Zauberhexe hat er wegen ihrer roten Haare immer zu ihr gesagt. Abends haben sie zusammen gekocht und dann die halbe Nacht am Strand gesessen und Geschichten erzählt. Nun fahren sie das erste Mal ohne Mama zu Grigori. Aber das macht Nadja nichts aus, wenn sie nur überhaupt fahren.

Mittags hat sie die Küche blitzblank. Sie wischt auch den Boden. Nur den Brief von ihrem Vermieter rührt sie nicht an. Der liegt noch immer ungeöffnet auf dem Küchentisch.

Sie schaut ins Schlafzimmer. Ihr Vater schnarcht im

Dämmerlicht der zugezogenen Gardinen. Das Blut auf seiner Jacke ist zu einem dunklen Fleck getrocknet. Sie zieht ihm die schweren Stiefel von den Füßen und stellt sie leise neben das Bett.

Plötzlich ertönt unten vorm Haus ein lautes Klingelkonzert. „Nadja, kommst du mit baden?"

Nadja erschrickt. Doch ihr Vater schnarcht ungestört weiter. Unschlüssig geht sie in ihr Zimmer. Wenn er nun nachher aufwacht und sie ist nicht da? Vielleicht geht er dann wieder in die Kneipe. Er muss aber heute unbedingt die Miete zahlen.

Nadja holt ein Handtuch aus dem Schrank, stopft es rasch in ihren Rucksack – und hält inne. Sie hat ja überhaupt keinen Badeanzug! Der vom vorigen Sommer ist ihr viel zu klein.

Sie packt das Handtuch wieder aus.

Da klingelt es Sturm an der Wohnungstür. Gleich wird ihr Vater wach! Aber sie hat doch keinen Badeanzug. Nadja wirft den Rucksack in die Ecke, schnappt sich ihren Wohnungsschlüssel vom Haken und öffnet rasch die Tür. Dabei stößt sie mit Timm zusammen.

„Ich dachte, ihr schlaft noch alle", stottert er.

„Wieso denn?"

„Na, bei euch sind noch alle Vorhänge zugezogen."

Nadja zuckt nur mit den Schultern. „Ist wegen der Sonne", sagt sie. „Papa trocknet Filme."

Sie geht vor Timm die Treppe hinab, damit er ihr Gesicht nicht sieht.

„Meinst du, der lässt mich mal zuschauen, wenn er seine Filme entwickelt?", fragt Timm neugierig. „Das muss doch total spannend sein, endlich zu sehen, was man fotografiert hat."

„Vielleicht." Nadja geht schneller. Das letzte Mal hat ihr Vater vor einem Jahr einen Fotoapparat angefasst. Das war vergangenen Sommer, als Mama noch bei ihnen wohnte. Die letzten Stufen der Treppe springt Nadja hinab. Als sie die Haustür öffnet, gleißt ihr Sonnenlicht ins Gesicht. Sie kneift die Augen zusammen.

„He, Nadja", begrüßt Biggi sie, „ich dachte, du schwimmst schon im Schwarzen Meer!"

Pascal lacht. Timm will ihre Hand greifen, doch Nadja zieht sie schnell weg.

„Avanti!", ruft Pascal und schwingt sich auf sein Rad. „Ich will hier keine Wurzeln schlagen!" Er radelt los. Die anderen folgen ihm.

Timm fährt neben Nadja. Er räuspert sich in einem fort, doch Nadja starrt stur geradeaus. Die Sonne brennt in ihrem Nacken und die Füße reiben in den zu kleinen Turnschuhen. Doch der Schmerz ist ihr nur recht, da muss sie an nichts anderes denken. Sie fahren ins Freibad.

An der Kasse steht eine endlos lange Schlange. Pascal schimpft: „Ist hier heute Zwergenschwimmen, oder was?"

Er schubst einen kleinen Jungen mit Taucherbrille, der ihm auf seine neuen Turnschuhe getreten ist. Nadja

bewundert das dunkelblaue Leder mit den gelben Streifen. Pascal hat die Schuhe von seinem Vater fürs Zeugnis bekommen. Er hatte nur Einsen. Biggi auch, Nadjas
beste Freundin. Sie kennen sich schon seit dem Kindergarten.

Die stößt ihr jetzt in die Seite. „Was ist denn heute mit
dir los?"

Nadja zuckt mit den Schultern.

Pascal grinst. „Die hat ihre Tage!"

Biggi legt Nadja ihren Arm um die Schultern. „Lass
sie einfach in Ruhe!"

Timm stellt sich ratlos zu Pascal. Nadja beachtet ihn
noch immer nicht. Gleich sind sie an der Kasse. Verdammt, denkt sie. Sie hat ja auch kein Geld. Sie spürt,
wie sie knallrot wird, weil Timm sie ständig fragend
anstarrt.

Als sie an der Kasse stehen, bezahlen die anderen
schnell. Sie wollen ins Wasser. Nadja würde am liebsten
im Boden versinken. Hinter ihr drängeln die Kleinen.
Da drückt Timm ihr heimlich etwas in die Hand. Nadja
schiebt der Kassiererin das Fünfmarkstück hinüber und
bekommt noch etwas heraus. Die anderen sind schon
zum Wasser gestürmt, Timm wartet. Als sie ihm das
restliche Geld gibt, muss sie ihn doch ansehen.

„Wir fahren. Ganz bestimmt", sagt sie hastig. „Papa
muss nur noch die Zugfahrkarten besorgen."

„Hmm", sagt Timm und schaut zu Biggi und Pascal,
die aus dem Wasser winken.

Nadja setzt sich auf die Wiese, die Knie unters Kinn gezogen, und guckt den kleinen Kindern im Planschbecken zu.

Unschlüssig steht Timm vor ihr. „Kommst du nicht mit rein?"

Sie schüttelt den Kopf. „Bauchschmerzen."

Timm schaut verlegen zur Seite.

Wie ihr Sportlehrer! Wenn eins der Mädchen sagt, es hat seine Tage, schickt er es gleich auf die Bank. Timm zieht seine Jeans aus und geht zum Beckenrand. Nadja bewundert seinen braunen Rücken. Sie selbst mit ihren roten Haaren wird einfach nie braun. Männer lieben Frauen mit roten Haaren, hat Mama immer gesagt. Das hat Papa aber nicht viel genutzt. Mama ist trotzdem gegangen. Mit ihren roten Haaren. Und alles wegen der blöden Fotos.

Am besten wäre es, die ganzen Fotos wären nicht mehr da. Dann würde ihr Papa vielleicht mal wieder etwas anderes tun, als den ganzen Tag nur seine alten Bilder anzustarren.

Nadja sieht, wie die anderen im Wasser herumalbern. Ihr ist unendlich heiß in den schwarzen Jeans. Sie setzt sich in den Schatten unter eine Kastanie. Aber auch dort hält sie es nicht lange aus. Sie muss irgendwas tun, wenn sie sich nicht vor Timm blamieren will. Nur ihretwegen fährt er mit seinen Eltern nicht zum Segeln an die Ostsee.

3

Als Nadja daheim ankommt, ist sie völlig durchgeschwitzt. Leise schließt sie die Wohnungstür auf. Vielleicht wird ja doch noch alles gut. Bestimmt. Ihr Papa hat ihr die Reise doch fest versprochen! Und bisher hat er seine Versprechen immer gehalten. Sie schleicht auf Strümpfen über den Flur. Wenn er richtig ausgeschlafen hat, geht sie gleich mit ihm zur Sparkasse, damit er die Miete zahlt.

Die Tür zum Schlafzimmer ist angelehnt. Sie wirft einen kurzen Blick hinein. Im Dämmerlicht der zugezogenen Gardinen sieht sie zuerst gar nichts. Dann fallen ihr plötzlich die Turnschuhe aus der Hand und poltern zu Boden. Das Bett ist leer! Eine Kuhle im Federbett, sonst nichts!

Sie rennt durch die Wohnung. „Papa! Papa!"

Aber niemand antwortet. Wie auch! Er ist drüben im Biergarten. Sie kann ihn vom Wohnzimmerfenster aus sehen, wie er da in seinen dicken Filzstiefeln irgendwel-

che Lieder singt. Wahrscheinlich wieder so ein Russen-
zeug. Darauf stehen ja diese Amis. Bestimmt halten
sie ihn auch für einen Russen. Nadja bekommt einen
dicken Knoten im Hals.

Die Fotos nur wegzuschmeißen wäre noch zu wenig!,
denkt sie wütend. Konfetti müsste man aus dem ganzen
Zeug machen! Hochglanzkonfetti! Da wird sich ihr
Papa wundern! Und wie er sich wundern wird.

Zuerst nimmt sie sich den Flur vor. Bis an die Decke
türmen sich die Fotoberge in den Regalen. Nadja hat
keine Ahnung, was da alles drin ist. Sie will es auch
nicht wissen. Sie kippt das Zeug gleich kistenweise in
Müllsäcke. Bald ist der ganze Flur so vollgemüllt, dass
man nicht mehr treten kann. Keuchend schleppt sie das
Zeug in den Hof hinunter und hievt die schweren Säcke
in den Container. Doch nach zehn Säcken ist der voll.

„Wollt ihr ausziehen?", ruft jemand in den Hof. Im
Seitenflügel winkt ihr die alte Frau Manke aus dem
Fenster zu.

„Nee, wir fahren ans Meer!", schreit Nadja und
rennt wieder in die Wohnung hoch.

Der Flur ist nun voller leerer Fotokästen. Fast muss
sie heulen. Doch sie beißt sich auf die Lippen.

„Verdammte Scheiße!", schimpft sie. Ihre Wut klingt
klein und hohl in dem leeren Flur. So schnell gibt sie
aber nicht auf. Im Wohnzimmer gibt es noch mindestens zehnmal so viele Fotos. Nur sind ihr leider die
Müllsäcke ausgegangen.

Sie überlegt einen Moment. Dann holt sie den nächsten Fotokasten und hievt ihn in ihrem Zimmer aufs Fensterbrett. Das Fenster geht nach hinten zum Hof raus. Wenn sie das Zeug gleich hier runterkippt, spart sie sich das Geschleppe durchs Treppenhaus.

Die ersten Fotos segeln über den Hof. Nadja schaut ihnen nach. Auf einigen ist auch sie drauf. Lautlos segelt ihr Gesicht davon. Dann holt sie den nächsten Kasten. Es schneit Hunderte von Bildern auf die Fenstersimse, Müllcontainer und in die Kastanienzweige, die aus dem Nachbarhof herüberreichen. Verhuschte Lächeln gleiten durch die Luft, Häuser stürzen hinterher und verregnete Parks, durch die niemand mehr spazieren wird. Ausgetanzt auch die wilden Hinterhofpartys. Männer und Frauen, die im Leben einander nie begegnet sind, vereint zu einem letzten Reigen. Nadja schüttet ohne Pause.

Die Wohnung verändert sich zusehends. Bald muss sie feststellen, dass es eigentlich kaum richtige Möbel bei ihnen gibt. Ihr Zuhause scheint nur aus Fotoregalen zu bestehen. Vergilbte Blümchentapete guckt nun zwischen den leeren Brettern hindurch.

Auf dem Hof sieht es mittlerweile wie auf einer Müllkippe aus. Dabei hat Nadja nicht einmal die Hälfte der Fotos hinausgeschafft. Die Dunkelkammer kann sie unmöglich auch noch entrümpeln. Die kann man höchstens anzünden, so sehr ist sie vollgestopft mit Papier und Fotos.

Anzünden! Das ist die Idee! Denn wenn Papa sein Zeug unten im Hof liegen sieht, wird er alles wieder aufsammeln und in die Wohnung hochschleppen! Das muss sie unbedingt verhindern. Sonst fängt das Theater wieder von vorn an.

Sie holt den Küchenbesen und ein Päckchen Streichhölzer und läuft in den Hof hinunter. Zuerst zündet sie die Fotos im Container an. Die wollen aber nicht brennen. Da sucht sie sich etwas Pappe. Das geht schon besser. Erst Pappe, dann Fotos. Es qualmt barbarisch. Nadjas Augen tränen. Auf einmal gibt es einen lauten Knall im Container. Eine Stichflamme schießt empor. Nadja zuckt erschreckt zurück. Aber die Fotos brennen jetzt lichterloh. Die Flammen schießen bis in die Kastanien hinauf, fressen die Fotos von den Zweigen und die Zweige gleich mit.

Nadja bekommt es mit der Angst zu tun und versucht, den Stahlcontainer von den Bäumen wegzuziehen. Doch das Metall ist glühend heiß. Sie kann die Griffe nicht mehr anfassen. Der halbe Hof ist schon voller Rauch und der Funkenregen entzündet jetzt auch die herumliegenden Fotos. Nadja geht rückwärts und drückt sich an die Hauswand. Der Rauch nimmt ihr langsam den Atem.

Plötzlich ist eine Sirene zu hören. Sie läuft nach vorn auf die Straße, vorbei an den Feuerwehrmännern, die auf den Hof stürmen. Niemand beachtet sie. Nicht einmal ihr Vater, der gerade ins Haus wankt in seinen dicken Stiefeln. Sie schließt ihr Fahrrad auf und fährt einfach los. Die Straße verschwimmt langsam vor ihren Augen.

4

Stundenlang ist Nadja durch den Kiez gefahren. Nun ist es dunkel geworden und sie weiß nicht mehr, wo sie noch langfahren soll. Auf einem Abrissgrundstück entdeckt sie einen alten Bauwagen. Davor sitzt ein Mann auf den Treppenstufen und raucht. „Du kannst die ganze Nacht da stehen bleiben", sagt er schließlich zu ihr. „Du kannst dich aber auch hersetzen."

Nadja lehnt ihr Rad gegen den Absperrzaun. Aus den Augenwinkeln mustert sie den Mann. In seinen abgewetzten Sachen sieht er aus wie ein Stadtstreicher. Aber er scheint nicht sehr alt zu sein.

„Willst du auch eine?", fragt er Nadja und reicht ihr seinen Tabakbeutel.

Nadja schüttelt den Kopf. Sie schaut sich um. Aber außer wilden Büschen und dem Bauwagen gibt es nichts zu sehen. Keine Kneipen, keine Touristen, kein Licht. Ihr ist etwas mulmig zumute.

Der Mann schaut sie unverwandt an. Da bemerkt sie

erst, wie sie aussieht. Ihr T-Shirt und die Jeans sind völlig rußverschmiert und die Turnschuhe hat das Feuer endgültig ruiniert. Willkommen im Club, denkt sie, als sie den Mann samt seiner Behausung mustert. Und muss lachen. „Ich weiß, wer Sie sind", sagt sie.

„Ach. Und das ist wohl komisch?"

„Sie sind der Sonnenmaler", sagt Nadja.

Der Mann brummt etwas, was sie nicht versteht.

„Mein Vater hat sie fotografiert. Die Sonnen, meine ich."

Der Mann zuckt mit den Schultern und raucht stumm seine gedrehte Zigarette weiter.

Nadja hockt sich auf die unterste Treppenstufe des Bauwagens. *Sonne in Berlin* war die letzte öffentliche Ausstellung ihres Vaters gewesen. Das war 1993. Da fotografierte er nur noch Dinge, die niemandem gehörten. Das war seine Art des stummen Protestes gegen all die plötzlichen Veränderungen, die er nicht gutheißen konnte – Menschen, die ihr Zuhause verloren und von einem Tag auf den anderen zu den Armen gehörten oder keine Arbeit mehr fanden, weil sie angeblich zu alt waren. In der DDR hätte er für solche Fotos Berufsverbot bekommen. Was er jetzt bekam, war schlimmer. Niemand beachtete ihn mehr.

Zwei Jahre ist die Sonnenausstellung schon her. Seitdem hat es keine Fotoausstellung mehr von ihm gegeben. Aber Sonnen gibt es noch immer in der Stadt. Jede Menge. Der Sonnenmaler malt sie weiter auf all die

Dinge, die nur sich selbst gehören. Ob ihr Vater ihn jemals getroffen hat in der Stadt?

Nadja ist auf der Treppe völlig in sich zusammengesunken. Der Maler sitzt stumm neben ihr und raucht. „Kennen Sie meinen Vater?", fragt sie leise.

Der Maler wiegt den Kopf.

„Er heißt Thamm."

„Robert Thamm?"

Nadja nickt. Der Maler pfeift leise durch eine Zahnlücke. „Du bist Roberts Tochter?" Er betrachtet Nadja verwundert. „Dein Vater hat ein Fotoarchiv über die letzten dreißig Jahre in der DDR. Wer so etwas besitzt, ist wirklich reich!"

Nadja spürt auf einmal wieder ihre Wut. Von wegen reich! Nicht einmal die Miete kann er zahlen. „Wer will denn das alte Zeug noch sehen!", schreit sie plötzlich und springt auf.

Der Maler schnalzt mit der Zunge. „Altes Zeug? Das ist ein Schatz, sag ich dir, aber der muss noch eine Weile liegen, bis man ihn heben kann."

Er entkorkt eine Rotweinflasche und prostet Nadja zu. „Man muss einfach warten. Die Zeiten ändern sich auch wieder."

Nadja kann aber nicht warten. Jetzt hat sie Ferien. Jetzt! Und sie hat Angst, dass sie bald auf der Straße sitzt. Mit Sack und Pack. Und alle Leute können es sehen. Timm, Biggi, Pascal. Und Mama. Und sie werden lachen über ihren Papa!

5

Nadja schiebt ihr Rad im Dunkeln nach Hause. Dann
dauert es länger, hofft sie. Was genau länger dauert,
weiß sie aber auch nicht so genau. Das Schlimme oder
das Gute. Die Feuerwehr ist bestimmt schon weg. Und
ihr Papa auch.

Immerhin steht das Haus noch, denkt Nadja, als sie
daheim ankommt. Aber es riecht ganz schön verbrannt.
Sie wirft einen Blick zu ihrer Wohnung hoch. Im Wohnzimmer brennt kein Licht, im Schlafzimmer auch nicht.

Die Linden auf dem Gehweg rascheln leise. Kein
Mensch ist zu sehen.

Als sie ihr Rad vor dem Haus anschließt, löst sich
gegenüber ein Schatten von einem Baum. Nadja zuckt
zusammen. Ihr Vater? Er ist bestimmt wütend auf sie.
Doch es ist nicht ihr Vater.

„Hallo", sagt Timm erleichtert. „Warum bist du denn
vorhin aus dem Schwimmbad abgehauen?"

Zum Glück ist es so dunkel, dass Timm ihr nicht in

die Augen sehen kann. Nervös dreht sie den Wohnungsschlüssel in ihren Händen. Bestimmt weiß er schon von
den verbrannten Fotos und der Feuerwehr, überlegt sie.
Und dass ihr Papa kein Geld mehr hat. Nicht für die
Miete, nicht für die Reise, für gar nichts.

„Wir wollten noch ins Kino", sagt Timm. „Ich habe
dich gesucht. Wo warst du denn?"

Nadja zuckt mit den Schultern. Hoffentlich ist das
Verhör bald zu Ende.

„Dein Vater wusste auch nicht, wo du bist."

Nadja holt tief Luft. „Mein Vater? Hast du mit ihm
gesprochen?!"

„Ich nicht, aber meine Mutter. Er war einkaufen.
Und da hat sie ihn gefragt, wann wir denn nun losfah-
ren nach Bulgarien."

Nadja ist auf einmal so schlecht, dass sie brechen
könnte. Timms Mutter arbeitet als Kassiererin im neuen
Supermarkt. Wer weiß, was ihr Vater da alles erzählt
hat. Sie will es gar nicht wissen. Sie will überhaupt
nichts mehr. Auch nicht mehr wegfahren. Wäre sie bloß
nie auf diese Idee gekommen. Überhaupt Bulgarien!
Kein Mensch fährt heute mehr nach Bulgarien.

„Musst du schon hoch?", fragt Timm.

Nadja nickt.

„Sind doch Ferien. Warum bist du so komisch?"

„Bin ich nicht."

„Haust einfach ab. Sagst nicht, wo du warst. Hat
deine Mutter wieder angerufen?"

Sie schüttelt stumm den Kopf. Ihre Mutter will, dass sie nach den Ferien in Hamburg zur Schule geht. Nadja will aber nicht nach Hamburg und ihr Vater auch nicht. Sie kennen dort keinen einzigen Menschen. Müde seufzt sie.

Plötzlich knurrt Nadjas Magen so laut, dass sie beide lachen müssen. Den ganzen Tag hat sie überhaupt noch nichts gegessen.

„Warte mal!" Timm rennt zum türkischen Imbiss gegenüber. Früher gab es dort eine Bockwurstbude, aber nach der Grenzöffnung wollte niemand mehr Bockwurst. Darum ging die Bude pleite.

Timm kommt jetzt mit zwei Dönern wieder. Einen überreicht er strahlend Nadja. Sie setzen sich auf die Treppe vorm Haus. Nadja ist froh, dass sie mit Essen beschäftigt sind. Was soll sie Timm auch sagen? Es sind Ferien und sie kann sich nicht einmal ein Eis kaufen?

„Ich geh dann mal", sagt Timm, als er seinen Döner gegessen hat. „Muss morgen früh raus. Bis wir fahren, trage ich Zeitungen aus. Aber nachmittags können wir was unternehmen."

Nadja murmelt einen Dank für den Döner und läuft hastig ins Haus. Vielleicht fällt ihr bis morgen ja noch etwas ein. Sie will Timm nicht enttäuschen. Vielleicht kann sie auch Zeitungen austragen. Aber das reicht noch nicht mal für die Fahrkarten.

Als sie vor ihrer Wohnungstür steht, lauscht sie. Von drinnen ist kein Laut zu hören. Vorsichtig steckt sie den

Schlüssel ins Schloss und dreht ihn langsam herum. Die Tür springt auf. Im Flur herrscht noch das gleiche Durcheinander wie am Nachmittag. Sie stößt sich im Dunkeln an einer Kiste und stolpert. Den Fluch verbeißt sie sich auf den Lippen. Still hockt sie am Boden. Wo ihr Vater wohl ist?

Sie schleicht in ihr Zimmer. Stickige Hitze schlägt ihr entgegen, es riecht nach Rauch. Sie hält die Luft an und klettert in ihr Hochbett. Dort oben ist es noch schlimmer. Sie entriegelt ein Oberfenster, doch auch vom Hof kommt nur verbrannter Papiergestank.

Erschöpft legt sie ihren Kopf in eine Armbeuge. Im Bettzeug steckt noch ein schwacher Geruch von frischem Waschmittel. Damit hat ihre Mama immer gewaschen. Apfelduft. Die ganze Wohnung hat bei ihr danach gerochen. Äpfel, duftende Äpfel.

6

Verschlafen hebt Nadja den Kopf. Jemand klingelt Sturm an der Wohnungstür. Sie lauscht. In der Wohnung bleibt alles still. Ihr Vater scheint nicht da zu sein. Müde klettert sie vom Hochbett. Sie muss in ihren Sachen eingeschlafen sein. Alles klebt und ist zerknittert. Die Klingelei hört überhaupt nicht mehr auf.

Vor der Tür steht eine fremde Frau mit blauem Jackett und Aktentasche. Sie schaut Nadja mitleidig an. Nadja kennt solche Blicke. So hat Timms Mutter auch geguckt, als sie ihr erzählt hat, dass sie jetzt allein mit ihrem Papa lebt.

Die Frau stellt sich nicht vor. Stattdessen sagt sie: „Ich würde mir sehr gern einmal eure Wohnung anschauen."

Nadja schüttelt den Kopf. „Ich darf keine Fremden reinlassen." Sie will die Tür wieder schließen.

Doch die Frau hat rasch einen Fuß dazwischengestellt. „Ist denn dein Vater nicht da?"

Nadja schluckt. Vielleicht schickt der Hauseigentümer schon neue Mieter, die sich die Wohnung angucken sollen. Das wird sie dem aber vermiesen! „Kommen Sie doch herein!", sagt sie auf einmal sehr freundlich und macht die Tür weit auf.

Die Frau starrt in den Flur, in dem noch immer die leeren Fotokästen herumliegen. Sie hält sich an einem Regal fest, als sie hinübersteigt.

„Hier ist die Toilette", erklärt Nadja und winkt die Frau heran.

Da das hohe schmale Fenster seit Jahren nicht mehr richtig schließt, ist die Wand darunter schon etwas feucht. Auch ist die Tapete nicht mehr die allerneueste. Das Muster darauf hat sich schon vor Jahren verabschiedet.

„Bitte weiter!" Nadja dirigiert die Frau zum Wohnzimmer. „Im Winter müssen Sie hier aber eine Mütze aufsetzen. Die Öfen heizen nicht mehr richtig. Da können Sie Kohlen reinstecken, so viel Sie wollen."

Die Frau macht ein langes Gesicht und schüttelt den Kopf. Die Küche wird sie am meisten begeistern, denkt Nadja. „Und nun das Glanzstück der Wohnung!"

Die Frau bleibt gleich im Flur stehen und steckt nur den Kopf hinein. Auf dem Küchentisch stehen leere Sardinenbüchsen. In der Wärme haben sie einen eigentümlichen Geruch entwickelt. Wenn Nadjas Vater einen Kater hat, isst er bergeweise Fischbüchsen leer. Die Frau rümpft die Nase.

„Und wo ist dein Zimmer?", will sie wissen.

Nadja geht voran. Es liegt am Ende des langen Flurs. Im Gegensatz zu den verblichenen Tapeten im Rest der Wohnung nimmt sich ihr Zimmer wie eine kleine Wolke aus. Die Wände sind tiefblau gestrichen.

„Was ist denn das?" Die Frau deutet auf einen Glaskasten, in dem grünes Geschlinge wabert.

„Meine Mückenzucht", erklärt Nadja. „Sind auch schon alle geschlüpft."

„Etwa in der Wohnung?" Die Frau weicht einen Schritt zurück.

„Im Sommer ist es total laut", redet Nadja weiter. „Von den Kneipen drüben, wissen Sie. Sie kriegen hier nachts kein Auge zu. Am besten man geht gar nicht erst schlafen und haut sich tagsüber aufs Ohr, wie mein Vater immer sagt."

„Ja, wo ist denn nun dein Vater? Kann ich ihn bitte sprechen?"

Nadja schaut auf ihre Uhr. „Vor zwölf hat er aber immer schlechte Laune."

Sie geht ins Schlafzimmer. Ihr Vater liegt tatsächlich im Bett und schläft. Sie rüttelt ihn. Brummend dreht er sich auf die andere Seite und vergräbt sein Gesicht im Kopfkissen.

„Da ist eine Frau!", ruft sie in sein Ohr. „Sie will die Wohnung anschauen."

Ihr Vater setzt sich im Bett auf und hustet. „Was für 'ne Frau denn?"

„Die neue Mieterin, glaub ich. Sie sitzt jetzt drüben im Wohnzimmer."

Nach Nadjas Mückenzucht hat sie offenbar genug von der Wohnungsbesichtigung. Nun wartet sie auf dem Ledersofa, ihre Aktentasche auf den Knien.

Nadjas Vater fährt sich mit den Händen durchs Haar und schaut seine Tochter prüfend an. „Und das ist kein Scheiß, damit ich jetzt aufstehe?"

Nadja seufzt. „Bestimmt nicht."

Langsam erhebt sich ihr Vater und versucht seine Sachen ein wenig glatt zu streichen. Aber das ist hoffnungslos. Er sieht nicht viel anders aus als der Sonnenmaler, als er ins Wohnzimmer kommt.

Die Frau schnellt in die Höhe, als sie Nadjas Vater erblickt. Ihr Mund verzieht sich ein wenig, doch einen Moment später hat sie ihr Lächeln wieder im Griff. „Guten Tag. Möller ist mein Name. Ich komme vom Jugendamt."

Nadja und ihr Papa starren die Frau an. Verdammt, denkt Nadja und ihr fallen all die Briefe ein, die vom Jugendamt gekommen sind. Keinen einzigen hat ihr Papa geöffnet. Alle sind in den Mülleimer gewandert.

Jetzt versucht er einen Scherz zu machen, verstummt aber gleich wieder. Nadja hört ihr Blut in den Ohren rauschen. Jugendamt! Da kann sie auch gleich Kinderheim sagen.

„Wir sind gerade beim Renovieren", stottert Nadja, die den Blicken der Frau durchs Wohnzimmer folgt.

„Ja, ja, genau", plappert ihr Papa nach. „Beim Renovieren."

„Ihre Frau hat uns gebeten, Herr Thamm ..."

Als sie Nadjas Mutter erwähnt, spürt Nadja, wie ihr Papa tief Luft holt. Gleich wird er explodieren.

„Ich besuche meine Mutter bald", plaudert Nadja. „Das war ja so abgesprochen. In den Ferien."

Dabei war gar nichts abgesprochen. Sie fährt überhaupt nicht mehr nach Hamburg zu ihrer Mutter, aus Angst, dass die sie gleich dabehält.

Die Frau schaut Nadja überfreundlich an. „Ich würde gern ein paar Minuten allein mit deinem Vater reden, mein Kind."

Kind! Nadja beißt sich auf die Lippen. Ihr Papa lässt sich in einen Sessel fallen. Die Frau setzt sich auch wieder und wirft Nadjas Vater bedeutsame Blicke zu. Aber Nadja wird nicht rausgehen. Allein ist ihr Vater der doch überhaupt nicht gewachsen.

„Ihre Frau macht sich Sorgen", versucht die Frau es jetzt auf die sanfte Tour.

Nadjas Vater schaut verständnislos drein. „Sorgen? Wieso?" Er schaut seine Tochter fragend an. „Hast du etwas angestellt, Nadjenka?"

Die schüttelt hastig den Kopf.

„Na also." Er lehnt sich in den Sessel zurück und will sich eine Zigarette anzünden, findet aber sein Feuerzeug nicht. Nadja rennt schnell in die Küche und holt Streichhölzer.

Doch die Frau lässt nicht locker. „Sie haben keine Arbeit, Herr Thamm."

Nadjas Vater lacht. „Millionen haben seit der Grenzöffnung im Osten keine Arbeit mehr."

„Sie haben aber auch Mietschulden."

Jetzt bleibt ihm das Lachen im Hals stecken. „Was wird denn das jetzt? Ein Verhör? Ich dachte, die Zeiten sind vorbei, wo man wegen Asozialität im Knast landete, wenn man seine Brötchen nicht mehr verdienen konnte!"

Die Frau wird kreidebleich. Nadjas Vater ist aufgebracht. „Nur weil ich gerade keine Arbeit habe, glauben Sie, kann ich mich auch nicht um meine Tochter kümmern?" Er springt auf.

Nadja zieht ihn am Hemd. Da zögert er einen Moment und winkt schließlich ab. „Ich wünsche Ihnen noch einen schönen Tag, Frau …"

„Möller", sagt sie und erhebt sich rasch. „Ich komme nächste Woche wieder", sie schaut sich noch einmal im Wohnzimmer um, „wenn Sie hier mit dem Renovieren fertig sind."

Nadjas Vater will sie hinausbegleiten, doch sie wehrt ihn ab. Laut fällt die Wohnungstür hinter ihr ins Schloss. So lange hat Nadja an sich gehalten. Jetzt schreit sie los. „Ich will aber nicht ins Heim! Und nach Hamburg auch nicht!" Sie schreit es immer wieder, bis ihr Papa ihr den Mund zuhält und versucht, sie wie ein kleines Kind auf seinem Schoß zu wiegen. Sein Bart zerkratzt ihr das Gesicht. Heulend macht sie sich von ihm los. „Und ans Meer fahren wir auch nicht! Alles Lüge!"

Dann rennt sie aus der Wohnung und knallt die Tür hinter sich zu. Im Flur rieselt Putz von der Decke.

7

Nadja stößt die Dachluke auf. Ein Schwarm Möwen fliegt erschrocken auf und dreht kreischend eine Runde über dem Haus. „Verschwindet", schreit sie den Vögeln nach, „hier gibt's kein Meer!" Doch ihre Wut wird schnell vom Wind fortgetragen. Er wirbelt durch ihre Haare und weht ihr Sand in die Augen. Sie muss sich an der Leiter festhalten, als sie aufs Dach klettert.

Fröstelnd verkriecht sie sich an ihren Lieblingsplatz in der Nische hinter dem Schornstein. Dort ist es windstill. Dem Backstein entströmt noch die Wärme des vergangenen Sommertages. Nadja schmiegt sich an den Stein. Von hier aus kann sie fast über die ganze Stadt schauen. Doch heute ist ihr nicht nach Schauen. In ihrem Kopf rauscht es. Sie legt ein Ohr auf die Knie und umschlingt ihre Beine mit den Armen. Bis in alle Ewigkeit wird sie hier oben bleiben.

Im letzten Jahr ist sie oft auf dem Dach gewesen. Immer wenn ihre Eltern gestritten haben. Mama wollte, dass sie zusammen nach Hamburg ziehen. Sie hatte ein tolles Angebot als Journalistin beim *Hamburger Abendblatt*. Und sie wollte erst mal allein das Geld für die Familie verdienen, so lange, bis Nadjas Vater etwas für sich gefunden hat. Doch aus irgendeinem Grunde wollte er nicht. Und Nadja auch nicht.

Da ist Mama schließlich allein gegangen. In der Hoffnung, sie würden es sich eines Tages anders überlegen, hat sie eine Drei-Raum-Wohnung in Hamburg angemietet. Und trotzdem schickt sie ihnen jeden Monat Geld.

Nadja hat ihrem Papa damals Mut gemacht: Sie würden das auch zu zweit schaffen. Es könnten doch nicht alle in den Westen ziehen. Und so gute Freunde würde sie nirgendwo wieder finden. Doch nun?

Ein prickelnder Schmerz zieht ihr plötzlich durch die Waden. Ihre Beine sind vom langen Sitzen eingeschlafen. Sie versucht aufzustehen und zieht sich am Schornstein hoch. Tausend kleine Nadeln stechen in ihre Fußsohlen. Langsam humpelt sie übers Dach.

Was soll sie jetzt bloß tun? Sie fliegen demnächst aus der Wohnung. Aus der Reise wird auch nichts. Ihr Vater verdient seit zwei Jahren keinen Pfennig. Außerdem hat sie fast alle seine Fotos verbrannt. Und dann sitzt ihnen auch noch die Frau vom Jugendamt im Nacken.

Wütend stampft sie mit dem stechenden Fuß auf und schreit: „Verdammte Scheiße!"

Da reißt unter ihr ein Loch in die morsche Dachpappe. Nadja erstarrt. Bricht jetzt das ganze Dach ein? Erschrocken lässt sie sich auf die Knie sinken und kriecht langsam von dem Loch fort. Wenn sie tot wäre, würde Mama sich bestimmt Vorwürfe machen, dass sie Nadja im Stich gelassen hat. Und Papa?

Nadja kriecht bis zum Dachrand und wirft einen Blick auf die Straße hinunter. Es ist ziemlich hoch, sechs Stockwerke. Ob man noch was merkt, wenn man auf den Asphalt stürzt? Sie beugt sich über die Dachkante. Es ist niemand auf der Straße. Die meisten sind ja in die Ferien gefahren. Niemand würde merken, wenn Nadja jetzt hinunterfällt. Nur der Polizist vor der Synagoge vielleicht, der gähnend am Tor lehnt. Aber vielleicht schaut auch er gerade weg, weil ein Touristenbus anrollt.

Nadja lehnt sich noch weiter vor, sodass sie auf den Gehweg hinunterschauen kann. In dem Moment biegt am Ende der Straße ein Zeitungsträger mit seinem Wägelchen um die Ecke. Es ist Timm. Haus für Haus kommt er näher.

Auf einmal steht auch ihr Vater auf dem Gehweg. Er spricht mit Timm. Nadja wüsste gern, was sie reden. In ihren Ohren rauscht der Wind. Ob ihr Vater ihm sagt, dass aus der Reise nichts wird? Sie sieht, wie Timm den Kopf schüttelt. Dann läuft ihr Vater weiter. Vielleicht sucht er sie.

Timm ist jetzt bei ihrem Haus angelangt. Er trägt ein paar Zeitungen hinein. Nadja wartet, dass er wieder herauskommt. Doch er kommt nicht. Klingelt er etwa an ihrer Wohnungstür? Dann hat Papa ihm bestimmt nicht erzählt, dass sie weggelaufen ist. Und von den verbrannten Fotos hat er vielleicht auch nichts gesagt.

Plötzlich knackt es hinter ihr. Erschrocken hält sie sich an der Dachrinne fest und dreht sich vorsichtig um. Verlegen lehnt Timm am Schornstein. Mit seinem superweißen T-Shirt erinnert er Nadja jäh an ihren eigenen kläglichen Aufzug. Sie trägt noch immer die rußverschmierten Sachen. Und die schwarze Dachpappe hat ihren Klamotten den Rest gegeben. Timm macht einen Schritt auf sie zu.

„Bleib stehen!", schreit sie. „Ich hab schon ein Loch reingetreten!"

Verwirrt schaut er sie an. „Komm wenigstens von der Kante weg", bittet er und streckt ihr aus der Hocke die Hand entgegen.

Doch Nadja kann nicht. Sie kann überhaupt nichts mehr. Nicht mehr denken, nicht mehr aufstehen. Sie legt den Kopf auf die kühle Dachrinne.

„Was ist denn los, Nadja?", redet Timm leise auf sie ein. „Ich hab eben deinen Vater getroffen. Er geht Filme kaufen. Bestimmt für die Reise."

Nadja hebt den Kopf. Timm redet weiter, als er merkt, dass sie ihm zuhört. „Meine Eltern sind heute Früh zu ihrem Segeltörn los. Bin ich froh, dass ich da nicht mitmuss."

Nadja schaut ihn traurig an.

„Nadja, was machst du denn hier? Wir haben Ferien! Und bald schwimmen wir im Schwarzen Meer!"

Da tut Nadjas Herz einen schweren Schlag. Vielleicht fahren sie ja doch, wo ihr Vater schon Filme kauft. Timm lächelt sie an. Und sie lässt sich anstecken von den beiden Grübchen, die sich jetzt in seine Mundwinkel stehlen. Sie machen alles so leicht.

Langsam schiebt sie sich von der Dachkante fort. Die Pappe knackt, doch sie hat keine Angst mehr. Sie sieht nur Timms ausgestreckte Hand. Mit einem Ruck zieht er sie den letzten Meter zu sich hoch.

„Wenn ich mich mit den Zeitungen beeile, können wir heute noch schwimmen gehen! Um eins hol ich dich ab, okay?"

Timm klettert schon wieder die Leiter hinunter. Er winkt Nadja kurz zu, dann hört sie ihn das Treppenhaus hinabpoltern.

Ihr Herz klopft. Vielleicht kann sie ihn ja überreden, zum See zu fahren. Da müssen sie keinen Eintritt zahlen. Langsam steigt sie die Treppe hinunter. Ob ihr Papa schon zurück ist? Das gibt bestimmt einen Heidenärger wegen der verbrannten Fotos.

Sie geht durch die leere Wohnung, die noch genauso wüst wie nach ihrer Feueraktion ausschaut. Von ihrem Papa keine Spur. Aber irgendetwas ist anders. Im Schlafzimmer fällt es ihr auf. Die Fotos vom Schrank sind verschwunden. Sie geht noch einmal durch die Wohnung. Sie hatte es ja nicht geschafft, alle Fotos zu verbrennen. Es lagen noch immer jede Menge Bilder in der Wohnung herum. Aber jetzt ist kein einziges mehr zu sehen. Auch die gerahmten von Nadja und Mama, die überall an den Wänden hingen, sind weg. Aber wohin? Nadja steht vor der Dunkelkammer. Und plötzlich schämt sie sich. Erst jetzt spürt sie, wie tot die Wohnung ohne all die Fotos ist. Obwohl Mama seit einem halben Jahr fort ist, hatte Papa kein einziges Foto von ihr abgenommen.

Nadja legt ein Ohr an die Dunkelkammertür. Es ist nichts zu hören. Seit dem vergangenen Sommer hat Papa keinen Schritt mehr in die Dunkelkammer getan. Langsam bekommt es Nadja mit der Angst zu tun. Sie klopft an die Tür. Keine Antwort.

„Papa, mach auf!", ruft sie. Sie wagt aber nicht, die Tür zu öffnen. Denn wenn er gerade einen Film entwickelt, macht sie ihm auch den noch kaputt. Aber wenn nicht? Vor Angst kann sie kaum atmen. Vorsichtig drückt sie die Klinke herunter. Die Tür ist abgeschlossen. Erleichtert sinkt sie in die Knie. Er arbeitet wieder!

Da fällt ihr Blick aufs Schlüsselloch. Von innen steckt überhaupt kein Schlüssel! Ihr Papa ist gar nicht in der Dunkelkammer. Er hat dort nur gerettet, was von Nadjas Feueraktion noch übrig geblieben ist. Er hat Angst vor ihr. Sie sinkt vor der Dunkelkammer zusammen. Das hat sie nicht gewollt.

8

Als unten vorm Haus ein Auto hupt, schreckt Nadja auf. Vielleicht ist die Kinderheimtante noch einmal mit Verstärkung zurückgekommen. Bestimmt hat sie nur gewartet, dass Nadjas Papa aus dem Haus geht. Und nun will sie sie heimlich mitnehmen.

Unsicher geht Nadja zur Wohnungstür und versucht so leise wie möglich die Kette vorzulegen. Früher konnte man wenigstens durchs Schlüsselloch gucken. Doch nach der Grenzöffnung hat ihr Papa ein Sicherheitsschloss eingebaut. So kann sie jetzt nur raten, wer vor der Tür steht.

„He, Nadja!", hört sie jemanden rufen. „Hast du dein Badezeug gepackt?"

Badezeug? Nadja schaut verwundert auf ihre Uhr. Da muss sie ja zwei Stunden vor der Dunkelkammer gesessen haben! Sie macht die Wohnungstür einen Spalt weit auf.

Auf dem Treppenabsatz steht Timm. „Ist bei dir alles

in Ordnung?", fragt er. Nadja nimmt die Kette weg, rührt sich aber nicht von der Stelle. Timm guckt verdutzt über ihre Schulter in den Flur.

„Wir malern gerade", stottert sie.

Da ist er schon durch den Türspalt geschlüpft. Um keine weiteren Erklärungen abgeben zu müssen, stürmt sie in ihr Zimmer und sucht ein Handtuch. Rasch zieht sie ein frisches T-Shirt über. Dann hält sie plötzlich inne. Verdammt, der Badeanzug!

„Schön viel Platz jetzt!", ruft Timm aus dem Wohnzimmer. „Schafft ihr euch auch neue Möbel an?"

„Wieso neue Möbel?", ruft sie zurück und stopft schnell das Handtuch in ihren Rucksack.

„Na, die alten habt ihr ja schon weggeschmissen. Ich würde das so leer lassen."

Hoffentlich treffen wir jetzt nicht Papa, denkt Nadja. Sie möchte sich die Standpauke wegen der verbrannten Fotos nicht gerade vor Timm abholen.

„Wir können los!", ruft sie schon aus dem Flur.

Dann rennen sie beide die Treppe hinunter.

Vor dem Haus empfängt Nadja ein Hupkonzert. Irritiert dreht sie sich nach Timm um. „Ich dachte, wir beide …"

Timm lacht. „Robert hat heute frei. Er nimmt uns an den See mit. Im Freibad ist es eh zu voll."

Dabei zwinkert er Nadja zu. Ihr bleibt keine Zeit, ein schlechtes Gewissen zu bekommen, weil sie ihm das Eintrittsgeld noch nicht zurückgegeben hat. Denn in diesem Moment wird die Beifahrertür aufgerissen und Timms Bruder ruft: „Immer herein, die Dame!"

Nadja verdrückt sich rasch auf den freien Platz auf der Rückbank. Dann erst stellt sie fest, dass neben ihr Silke sitzt. Genervt gibt sie ihr die Hand. Ausgerechnet Silke! Die arbeitet in der Bierkneipe gegenüber als Kellnerin.

Robert kurbelt das Dachfenster seines alten Käfers auf und fährt los. Timm schaltet das Radio an und dreht den Lautstärkeregler bis zum Anschlag. Die Rednex brüllen *Wish you were here!* Nadja wäre gern woanders.

Über die Mittagszeit ist stadtauswärts wenig Verkehr. Der Wetterbericht verkündet 37 °C im Schatten. Und auch in den nächsten zwei Wochen verspricht er nichts als Hitze für Berlin und Brandenburg.

„Ihr habt vielleicht ein Ferienwetter!", brüllt Robert gegen die laute Musik an. „Wann fahrt ihr denn nun los ans Meer?"

Nadja zuckt zusammen. Robert wirft ihr im Rückspiegel einen fragenden Blick zu. Sie schaut aus dem Fenster. Etwas würgt in ihrem Hals.

„Was denn für'n Meer?", fragt Silke.

Nadja ist die Hitze im Auto fast unerträglich.

„Na, das Schwarze Meer!", ruft Robert. „Mein Brüderlein verreist mit seiner Kirsche! Und unsereins kann hier malochen."

Nadja wird auf einmal ganz klein auf ihrem Sitz.

Robert dreht das Radio leiser, um Nadja besser zu verstehen. „Was sagst du?", fragt er noch einmal. „Wann fahrt ihr?"

Silke schaut Nadja erstaunt an. „Ihr fahrt ans Meer? Dein Alter lässt doch schon seit drei Wochen bei uns anschreiben."

Nadja starrt auf Timms Hinterkopf, sie betrachtet jedes einzelne der verstrubbelten blonden Haare. Hinter den Ohren hat er auf beiden Seiten einen kleinen Wirbel. Die hat sie ja noch nie gesehen!

Silke stößt Nadja in die Seite. „Bist du taubstumm oder was?"

In dem Moment biegen sie zum See ein und ein Meer von Autos empfängt sie, sodass jeder nach einem Parkplatz Ausschau halten muss. Zum Glück fährt gerade jemand aus einer Lücke.

Silke verzieht das Gesicht, als sie aussteigen. Halb Berlin scheint sich am See verabredet zu haben. Sie verschwindet mit Robert und einer Decke im Wald. Nadja und Timm schauen ihnen nach.

„Wollen wir zwei auch Pilze suchen?", fragt Timm grinsend.

Nadja schüttelt den Kopf. Sie wartet darauf, dass er sie zur Rede stellt. Er kann doch unmöglich überhört haben, was Silke über ihren Vater gesagt hat. Entschlossen läuft er vor ihr am Ufer entlang. Sie steigen über kreischende Kinder, umrunden Würstchengriller und hämmernde Kassettenrekorder. Am liebsten würde

Nadja mitten in diesem Getümmel bleiben, doch Timm läuft weiter.

Wo der Wald anfängt, macht der See einen Bogen und weitet sich zu einem breiten Schilfgürtel. Hier badet niemand, denn umgestürzte Bäume und Wurzeln ragen aus dem Wasser. Es gibt nur einen schmalen Zugang durchs Schilf zum See. Ohne Nadjas Zustimmung abzuwarten, breitet Timm ein Stück entfernt sein Handtuch auf dem harten Kiefernboden aus.

Lächelnd verbeugt er sich: „Bitte einzutreten, gnädige Frau!"

„Spinner." Nadja lässt ihren Rucksack auf das Handtuch fallen.

Timm zieht rasch Jeans und T-Shirt aus und rennt ins Wasser. Prustend tobt er wie ein kleiner Junge darin herum. Nadja zeigt ihm einen Vogel. Da taucht er unter und kommt erst in der Seemitte wieder hoch.

Nadja seufzt. Sie ist völlig unsportlich. In unserer Familie haben es die Frauen mehr mit dem Kopf, hat Mama immer gesagt. Aber was nützt das heute, denkt Nadja, klug sein? Ihr Vater gehörte in der DDR zu den bekanntesten Fotografen. Und nicht nur dort. Seine Fotoausstellungen reisten durch halb Europa. Er bekam jede Menge Preise und unterrichtete sogar an der Kunsthochschule. Und trotzdem fliegen sie jetzt aus der Wohnung.

Angesichts des klaren Seewassers spürt sie auf einmal, wie verschwitzt und dreckig sie eigentlich ist. Sie haben daheim kein richtiges Bad, weil ihr Vater dort seine Dunkelkammer eingerichtet hat. In der Küche steht nur eine kleine Duschkabine, wo man sich mit dem Duschen beeilen muss, weil der kleine Wasserboiler nur dreißig Liter heiß bekommt. Aber seit sie die Fotos verbrannt hat, hatte sie noch nicht mal Zeit für eine schnelle Dusche. Es ist irgendwie so viel auf einmal passiert.

Timm winkt von der Mitte des Sees. Sie winkt zurück und zieht sich langsam aus. Da fällt ihr wieder ein, dass sie ja gar keinen Badeanzug hat. Geht sie eben ohne.

Hinter einer dicken Kiefer wird leise getuschelt. „Süße Schnecke, was?"

Als sie sich umdreht, stürmen zwei zehnjährige Jungen schreiend hervor. Schnell läuft sie ins Wasser. Vor Schreck bleibt ihr in dem eiskalten Wasser die Luft weg. Ehe der tiefe Tonsee richtig warm wird, dauert es bis in den späten August. Sie dreht sich auf den Rücken und lässt die Sonne auf ihren Bauch scheinen. Über ihr strahlt der blaue Himmel. Wie ein Feuerkranz breiten sich ihre langen roten Haare um sie, während sie im Wasser treibt.

Kleiner Feuerteufel, hat Grigori immer gesagt, wenn sie zusammen im Meer geschwommen sind. Er wird traurig sein, wenn sie nicht kommen. Plötzlich taucht ein Seeungeheuer durch das Flammenmeer. Nadja geht unter und schluckt Wasser. Hustend kommt sie wieder hoch. Timm lacht und taucht um sie herum.

Sie hat auf einmal keine Lust mehr auf Baden und schwimmt ans Ufer. Timm paddelt langsam hinter ihr her. Er weiß nicht, wo er hinsehen soll, als sie vor ihm aus dem Wasser steigt. Unschlüssig dreht er noch eine Runde. Nadja legt sich mit dem Bauch aufs Handtuch und stützt den Kopf in die Hände. Timm paddelt und paddelt.

Nadja schaut ihm zu. „Willst du dir Schwimmhäute wachsen lassen?", ruft sie nach einer Weile.

Da kommt er endlich an Land und setzt sich neben sie in den Sand. Wasser perlt über seinen braunen Rücken. Er schaut angestrengt zum See. Nadja müsste etwas sagen. Aber sie weiß nicht, wo sie anfangen soll. Sie versteht ja vieles selbst nicht. Sie spürt, dass er auf ein Wort von ihr wartet. In ihrem Kopf ist aber nur einsame Leere. Sie schaut auf ihre Hände, über die ein paar Ameisen krabbeln. Bald kommen immer mehr, denn das Handtuch liegt genau auf ihrem Weg.

Sie zieht sich das grüne T-Shirt wieder über, das ihr bis zu den Knien reicht. Dann kramt sie aus dem Rucksack zwei trockene Brötchen hervor und gibt eins davon Timm. Schweigend kauen sie vor sich hin. Timm beißt genauso kleine Stückchen ab wie Nadja. Aber irgendwann sind auch die Brötchen gegessen. Jetzt hat Nadja einen wahnsinnigen Durst. Timm auch. Doch sie haben nichts zu trinken dabei.

„Ich könnte den ganzen See austrinken", jammert Timm.

„Ich auch", seufzt Nadja.

„Na dann!" Er springt auf und läuft zum Wasser. Nach drei Schluck hat er aber genug. Das Wasser schmeckt brackig. Er verzieht das Gesicht. Nadja spritzt ihn nass. Da hält er sie am Arm fest und spritzt zurück, bis sie unter einer Wasserfontäne verschwindet. Als er merkt, dass ihr T-Shirt vom Wasser ganz durchsichtig geworden ist, hört er erschrocken auf. „Ich bin ein Idiot, stimmt's?"

Nadja schüttelt den Kopf.

„Mit so einem wie mir willst du bestimmt nicht in die Ferien fahren."

„Du bist kein Idiot", sagt sie leise und gibt ihm einen Kuss auf die Wange. Dann geht sie aus dem Wasser.

Timm steht da wie vom Blitz getroffen. Nadja zieht ihr nasses T-Shirt aus und hängt es über einen Busch. Dann legt sie sich wieder aufs Handtuch und lässt etwas Platz frei. Das Handtuch ist nicht sehr groß. Timm setzt sich auf das kleine freie Stückchen.

„Stell dir vor, wir wären auf einer winzigen Insel mitten im Meer", sagt er. „Und drum herum Haifische."

Nadja macht sich noch kleiner auf dem Handtuch. Timm legt seinen Arm um sie, damit sie auf dem schrägen Boden nicht herunterkullert.

„Ob uns jemand rettet?", flüstert sie.

„Bestimmt", flüstert er zurück.

Nadja schließt die Augen. Die Wellen plätschern ans Ufer. Kein Mensch weit und breit. Sie liegt ganz still.

Von ihr aus braucht niemand zu ihrer Rettung zu kommen. Timms Hand liegt warm in ihrem Nacken. Wenn sie den Kopf ein wenig dreht, riecht sie seine Haut, die nach Sonne und Wind duftet. Und nach Timm.

Plötzlich ruft jemand: „He, ihr zwei Turteltauben!" Enttäuscht schaut sich Nadja um. Silke winkt ihnen mit einem Handtuch. Sie müssen zurück. Silke hat heute Spätdienst in der Kneipe. Nadja schnappt sich ihr T-Shirt. Es ist schon wieder trocken. Langsam steigt sie in die Jeans, die in der Sonne inzwischen gekocht sind. Eigentlich ist es viel zu heiß für lange Hosen. Aber sie mag keine Kleider und Röcke. Mama hat auch immer nur Jeans angehabt, als sie noch zu Hause wohnte. Timm ist schon fertig angezogen und schüttelt sein Handtuch aus. Kiefernnadeln und Sand fliegen umher. Nadja reibt sich die Augen. Eine Träne rollt ihr übers Gesicht.

Erschrocken hält Timm das Handtuch fest. „Soll ich mal gucken?", fragt er und zeigt auf ihr Auge.

Nadja schüttelt den Kopf und reibt. Da tränt auch das andere Auge. Es hört überhaupt nicht mehr auf. Sie reibt jetzt mit beiden Händen.

„Beeilt euch doch mal!", ruft Silke.

Timm stopft das Handtuch in Nadjas Rucksack und schaut sie an. Nadja wischt sich mit dem T-Shirt-Zipfel übers Gesicht und versucht zu lächeln.

Die Heimfahrt verläuft recht schweigsam. Silke ist sauer, weil sie noch arbeiten muss. Robert würde seinen freien Abend auch lieber mit ihr verbringen. Timm muss seine Zeitungen für den nächsten Tag abholen. Und Nadja. Nadja ist unendlich müde. Sie schläft in der stickigen Wärme des Autos ein.

9

Als Nadja nach Hause kommt, ist es dunkel im Flur. Sie drückt auf den Lichtschalter, doch nichts passiert. Sie macht die Wohnungstür weit auf, damit noch etwas Licht vom Hausflur hereinfällt. Die leeren Fotokästen liegen jetzt ordentlich aufgestapelt an der Wand.

„Papa?", ruft sie unsicher.

Doch niemand antwortet. Sie schließt die Wohnungstür und will schon in ihr Zimmer gehen, da sieht sie in der Küche einen kleinen roten Punkt aufglimmen.

„Papa?", sagt sie leise und hält sich am Türpfosten fest.

Allmählich gewöhnen sich ihre Augen an die Dunkelheit. Ihr Papa sitzt am offenen Küchenfenster und raucht. Er sagt kein Wort. Er scheint sie nicht einmal bemerkt zu haben.

„Ich glaub, das Flurlicht ist kaputt", sagt sie nach einer Weile.

Das rote Pünktchen glimmt wieder auf.

„Bestimmt ist es nur die Birne", redet sie gegen das zähe Schweigen.

Geräuschvoll atmet ihr Vater den Rauch aus. Wenn er doch irgendwas sagen würde, sie wenigstens anschrie, weil sie seine Fotos verbrannt hat. Oder ihr für den Rest der Ferien Hausarrest gäbe. Sein Schweigen schnürt Nadja langsam den Hals zu. So war es auch, als Mama gegangen ist. Danach hat er wochenlang kaum ein Wort gesprochen.

Im Hof unten geht Licht an. Schritte schlurfen zu den Mülltonnen. Ein Deckel wird quietschend geöffnet, dann fällt er wieder zu und die Schritte schlurfen ins Haus zurück.

Nadja hat schon ganz schwitzige Finger am Türpfosten bekommen. Sie polkt mit dem Zeigefinger am Holz herum. Sie kann doch nicht die ganze Nacht hier stehen bleiben.

„Ich glaube, es ist besser, du ziehst zu deiner Mutter", sagt ihr Vater plötzlich.

„Aber warum denn?", stammelt sie. „Es tut mir leid wegen der Fotos! Papa, bitte!" Hätte sie sie doch bloß nicht angezündet. Sie hat alles nur noch schlimmer gemacht.

„Es ist nicht wegen der Fotos", sagt er tonlos.

Vor Aufregung hat sie sich einen Splitter in den Finger gerissen. Weswegen dann?

„Ich mach erst mal Licht", sagt sie, um sich zu beruhigen. „Im Küchenschrank ist eine neue Glühbirne."

Nadja geht zitternd ein paar Schritte, da hält ihr Vater sie fest. Sie versucht sich loszumachen, doch seine Arme geben sie nicht mehr her.

„Lass mich, da ist noch eine Birne!", schreit sie. „Ich weiß es!"

„Die Stadtwerke haben uns den Strom abgestellt, Nadja."

Den Strom abgestellt? Nadja sackt in sich zusammen. Ihr Vater zieht sie auf seinen Schoß.

„Es tut mir so leid, Nadjenka."

Etwas Heißes läuft über ihr Gesicht. Ihr Vater weint. Nadja kann überhaupt keinen einzigen Gedanken mehr fassen. Die Angst lähmt ihren ganzen Körper. Als sie noch klein war, hat er sie auch immer auf dem Schoß gewiegt, wenn etwas Schlimmes passiert war. Allein seine starken Arme reichten und alles war wieder gut. Jetzt spürt sie zu ihrer eigenen Angst auch die ihres Vaters. Sie schwappt einfach in sie hinein, ohne dass Nadja etwas dagegen tun kann. Mit jedem Atemzug eine neue Welle.

Und ein Bild kämpft sich in Nadjas Kopf. Das Gesicht des alten Hilger aus dem Erdgeschoss, wie er eines Morgens mit all seinen Möbeln auf der Straße landete und keine Ahnung hatte, was mit ihm geschah. Völlig apathisch hockte er in seinem abgewetzten Sessel auf dem Gehweg.

Nadja entwindet sich den Armen ihres Vaters. Es geht auf einmal ganz leicht. Seine letzte Kraft hatte er dafür gegeben, sie noch einmal zu halten. Jetzt ist auch die fort.

Nadja fegt mit einer wütenden Handbewegung dreckiges Geschirr vom Tisch. „Dann geh halt endlich zum Arbeitsamt! Die geben dir Arbeit!", schreit sie.

„Ich bin Fotograf, Nadjenka."

„Ja, und? Dann fotografiere endlich wieder!"

„Du weißt doch, dass niemand mehr meine Fotos kaufen will."

Nadja stampft mit dem Fuß. „Dann machst du eben was anderes!" Sie schreit so laut, dass im Seitenflügel ein paar Fenster auffliegen.

Ihr Vater schließt das Küchenfenster. „Komm, Nadja, bitte", versucht er sie zu beruhigen.

Doch Nadja ist nicht mehr zu beruhigen. Sie versucht alles Menschenmögliche, dass sie nicht aus der Wohnung fliegen. Und was tut ihr Vater?! Nichts!

„Dann gehst du eben zum Sozialamt. Die geben uns wenigstens Geld!"

Für einen Augenblick scheint es, als habe sie ihren Vater endlich erreicht. Er überlegt einen Moment, dann schüttelt er den Kopf. „Wir sind doch keine Penner, Nadja."

„Ach nein? Ich kann nicht schwimmen gehen, weil ich keinen Badeanzug habe! Meine Turnschuhe sind kaputt! Wir können unsere Miete nicht mehr zahlen. Den Strom haben sie uns auch abgedreht! Aber wir sind keine Penner. Großartig!"

Sie ringt schwer nach Luft. „Und nächste Woche fahren wir ans Meer!"

Wütend rennt sie aus der Wohnung.

10

Der Himmel hängt voller Sterne.

Nadja steht auf dem Hausdach und schaut in die blinkenden Lichter. Ihr Herz rast noch immer. Unten in der Wohnung wäre sie eben fast erstickt. Auf dem Dach ist es nicht viel kühler, doch hier oben ist sie wenigstens nicht allein.

Drei Dächer weiter steigt eine Party. Der Duft gegrillter Würstchen weht zu ihr herüber. Früher haben Nadjas Eltern auch auf dem Dach gegrillt. Es hat oft etwas zu feiern gegeben. Einen neuen Fotoband von ihrem Vater oder einen Zeitungsartikel von Mama, der ungekürzt durch die Zensur gekommen ist. Manchmal auch die Freilassung eines Freundes, der irgendwo auf der Welt im Gefängnis gewesen ist, weil er aus einem Krieg von der falschen Seite berichtet hatte. Ihre Eltern hatten immer Besuch.

Doch seit 1989 alle auf die Straße gegangen sind, um für ein freies Land zu demonstrieren, kommen immer weniger aufs Dach. Als ob plötzlich alle vergessen haben, wie schön es hier oben ist.

Nadja schlendert zu der Party hinüber. Die Leute vom Nachbarhaus haben es sich auf einem alten Sofa und in riesigen Korbsesseln bequem gemacht. Bereitwillig rücken sie für Nadja zusammen. Sie bekommt eine Bratwurst in die Hand gedrückt. Jemand hält ihr auch eine offene Flasche Rotwein hin. Da schüttelt sie den Kopf und schlendert mit ihrer Wurst weiter.

Hinter einem Schornstein liebt sich ein Pärchen auf einer Matratze. Nadja versucht leiser zu gehen, doch die Dachpappe knirscht unter ihren Füßen.

Dann kommen zwei modernisierte Häuser, die wieder ihren früheren Westeigentümern gehören. Hier ist niemand mehr auf dem Dach. Die Dachböden in den beiden Häusern sind abgesperrt. Wegen des Gesindels, das sich angeblich hier oben herumtreibt.

Nadja muss über einen kleinen Zaun klettern. Die neuen Hauseigentümer haben Schilder dahinter aufgestellt. *Betreten verboten!* Als ob sie den Himmel gleich mitgekauft hätten.

Nadja läuft Dach für Dach ihren Straßenzug entlang. Da sieht sie auf dem Eckhaus ein kleines Feuer brennen. Sie bleibt stehen. Noch könnte sie umkehren, denn er hat sie bestimmt noch nicht bemerkt. Aber dieses kleine Feuer in der alten Eisenwanne zieht sie magisch an. Es hat etwas unendlich Beruhigendes, wie es da so still und friedlich vor sich hin flackert.

„Hi, Nadja", sagt Timm erstaunt, als er sie bemerkt.

Nadja setzt sich neben ihn. Sie glaubt nicht mehr daran, dass sie noch ans Meer fahren. Sie glaubt überhaupt nichts mehr. Sie legt ihren Kopf gegen Timms Schulter. Die Flammen tanzen in der Eisenwanne. Timm wirft zwei Holzscheite nach. Seit sich alle Gasheizungen in ihre Wohnungen einbauen, gibt es bergeweise Holz in den Kellern.

„Er will mich nach Hamburg schicken", sagt Nadja leise.

Timm schaut sie ernst an. „Ich weiß. Er hat es Silke in der Kneipe erzählt. Weil er nicht mehr weiß, was er machen soll."

Nadja könnte vor Scham im Boden versinken. Sie haben es also schon alle beim Baden gewusst. Alle, nur sie nicht. Was soll sie bloß tun?

„Nächste Woche kommt die Tante vom Jugendamt wieder", erzählt sie Timm. „Wenn unsere Wohnung dann immer noch so chaotisch aussieht, nimmt die mich sowieso gleich mit. Und unsere Reise ans Meer …"

Timm fällt ihr ins Wort. „Die Reise ist doch jetzt völlig unwichtig."

„Ist sie nicht. Ich dachte, wenn wir zu Grigori fahren, wird wieder alles wie früher. Verstehst du? Grigori ist doch auch Fotograf. Er würde nie seine Kinder wegschicken, bloß weil er gerade kein Geld hat." Warum versteht sie bloß keiner?

„Dann brechen wir eben in eine Bank ein."

Nadja zeigt Timm einen Vogel. „Du spinnst ja wohl!"

„Fällt dir denn was Besseres ein?", verteidigt er sich ärgerlich.

Nadja schüttelt den Kopf. Als sie klein war, hat Geld nie eine Rolle gespielt. Jetzt scheint sich alles nur noch darum zu drehen.

11

Sie sitzen oben auf dem Klettergerüst. Nadja, Timm, Pascal und Biggi. Außer ihnen ist niemand so früh am Morgen auf dem Spielplatz. „Kann mir mal einer verraten, warum ich in meinen sauer verdienten Ferien vor zwölf Uhr aufstehen muss?", mault Pascal.

Biggi tritt ihm gegen das Schienbein, dass er fast hintenüberkippt. Timm erzählt in wenigen Sätzen, warum er sie alle zusammengetrommelt hat.

Bei ihm klingt das so einfach, denkt Nadja. Zuerst die Kohle für die Miete auftreiben, dann die Wohnung neu streichen, bis die Frau vom Jugendamt wiederkommt. Und zu alledem noch Nadjas Vater auf Trab bringen, damit sie nicht nach Hamburg muss.

Pascal macht dicke Backen. „Mensch, ick hab Ferien! Das Ganze klingt nach verdammt viel Arbeit, würd ich sagen!"

„Halt doch ein Mal deine Klappe", fährt Biggi ihn an. „Sind wir nun Freunde oder nicht?"

Nadja schaut Hilfe suchend zu Timm. Sie hat doch gewusst, dass es zwecklos ist. Und außerdem schämt sie sich. Nun wissen alle, dass ihr Papa restlos pleite ist und aus der Bulgarienreise nichts wird.

Sie will schon wieder runterklettern, als Biggi Pascal das Basecap vom Kopf zieht und in die Mitte hält. „Also Jungs, her mit der Kohle!"

Alle kramen in ihren Taschen. Sie bringen aber gerade einmal 57,83 DM zusammen.

„Hamburg, ich komme", flötet Pascal.

„Hast du vielleicht 'ne bessere Idee?", fährt Timm ihn an.

„Nee. Aber mit deiner Heilsarmeemasche wird das nichts." Er steigt vom Klettergerüst und geht. Nadja schaut ihm nach.

„Ich kann dir mein Geld vom Zeitungsaustragen geben", sagt Timm. „Aber ich bekomme es erst in zwei Wochen."

Biggi hat keinen Ferienjob, und sie hat nicht einmal die geringste Aussicht auf Taschengeld. Ihre Eltern sind seit der Grenzöffnung beide arbeitslos. Manchmal dolmetscht ihre Mutter bei Stadtführungen oder ihr Vater verkauft eine seiner Russischübersetzungen. Aber wer liest heute schon noch Tolstoi?

„Können wir nicht irgendwas verkaufen?", überlegt sie.

Nadja zuckt mit den Schultern. „Was denn? Leere Fotoregale?"

Da kommt auf einmal Pascal zurück. Grinsend steigt er die Leiter empor und zieht drei blaue Scheine aus seiner Jeansjacke. Nadja reißt die Augen auf, als er sie in die Baseballkappe wirft.

„Wo hast du die denn her?", fragt Timm schließlich.

„Das ist ein zinsloses Darlehen, Herzchen", sagt Pascal zu Nadja. „In zwei Wochen brauch ich es zurück."

Nadja strahlt. In zwei Wochen ist längst das Geld von ihrer Mutter da!

Pascal drückt ihr die Kappe mit dem Geld in die Hand. „Kann ich jetzt weiterschlafen, Mädels?"

Ohne eine Antwort abzuwarten, verschwindet er mit einem Luftkuss. Nadja hält das zusammengerollte Basecap wie einen Schatz in der Hand. Die Miete für einen Monat! Sie ist völlig sprachlos.

Timm verabschiedet sich bei ihr. „Ich muss zu meinen Zeitungen!"

„Der legt sich ja mächtig ins Zeug für dich", sagt Biggi neidisch, als er weg ist.

Nadja setzt sich Pascals Basecap fest auf den Kopf und hüpft ausgelassen über den Spielplatz. Sie dreht sich im Kreis, bis sie vor Schwindel auf den Rücken fällt. Vielleicht kann sie ja doch hier in Berlin bleiben! Als die Welt ringsum wieder stillsteht, schaut sie Biggi fragend an. „Sag mal, Biggi, wie zahlt man eigentlich Miete?"

Ihrem Vater kann sie das Geld schlecht geben. Der vertrinkt es womöglich gleich wieder.

„Kennst du denn euren Vermieter?", fragt Biggi.

„Oh ja!" Nadja wird den Antrittsbesuch dieses Ehepaars nicht so schnell vergessen. Die haben ihnen tüchtig Bescheid gegeben, als das Haus nicht mehr der Wohnungsverwaltung, sondern ihnen gehörte. Denn Nadjas Vater sollte auf der Stelle seine Fotos aus dem Treppenhaus abnehmen. Angeblich störten sie die allgemeine Ordnung.

Ihr Vater hatte eine kleine Galerie aller Leute aufgehängt, die einmal im Haus gelebt haben. Er weigerte sich, die Fotos abzunehmen. Eines Morgens waren sie dann verschwunden und sind seitdem nie wieder aufgetaucht.

„Wo wohnen die denn?", fragt Biggi.

„Ich glaube, in Spandau."

„Dann bringen wir die Miete gleich hin."

„Nur über meine Leiche", erklärt Nadja.

„Bitte, wenn's sein muss", erwidert Biggi. „Wo ist der Dolch?"

„Aber du kommst mit", stöhnt Nadja und läuft los.

12

Nadja ist noch nicht oft in Westberlin gewesen. Die andere Stadthälfte ist ihr fremd. Überall hängen riesige Werbetafeln. Aus jeder Ecke starren sie lächelnde Gesichter an. Laut und schrill. Die andere Stadthälfte riecht auch ganz anders. Wie Pfefferminzkaugummi mit Benzin.

Sie müssen mit dem Rad nach Spandau fahren, denn für Busfahrscheine hat Nadja kein Geld. Normalerweise macht es ihr nichts aus, durch die Stadt zu radeln. Ihre Eltern hatten auch nie ein Auto. Aber heute sind fast 35 °C im Schatten und Nadja schreckt auf der Straße jedes Mal zusammen, wenn ein Auto lautlos an ihnen vorbeirollt. Biggi fährt extraweit auf der Straßenmitte und zeigt den Hupern einen Vogel.

Als sie endlich vor dem Einfamilienhaus der Vermieter ankommen, läuft ihnen der Schweiß den Rücken hinunter. Nadja hat der Mut verlassen, aber Biggi drückt entschlossen auf die Klingel am Gartenzaun.

Eine Stimme schnarrt aus der Sprechanlage: „Bitte, wer ist dort?"

Nadja stottert etwas, verheddert sich in ihren eigenen Worten.

Da springt Biggi ein: „Hier Thamm. Wir bringen die Miete."

Die Sprechanlage knackt. Dann ist Stille. Nadja zieht Biggi am Arm von der Tür weg. Vielleicht war es ja doch eine blöde Idee. Da surrt der Türöffner. Biggi drückt die Klinke der Gartentür hinunter und betritt das Grundstück. Nadja geht unwillig hinter ihr her.

Ein frisch geharkter Kiesweg führt zum Haus. Die Steinchen knirschen unter ihren Füßen. Plötzlich kommt ein kleiner schwarzer Terrier um die Ecke gefegt und kläfft sie wütend an. Nadja würde am liebsten davonrennen, doch Biggi zieht sie weiter.

Schließlich stehen sie vor der Haustür. Die Frau des Vermieters öffnet ihnen und starrt sie beide verwundert an. Der Hund kläfft ohrenbetäubend weiter. Nadja hat es jetzt völlig die Sprache verschlagen, wortlos knetet sie die feuchten Geldscheine in ihrer Hand.

„Wir bringen die Miete für Thamm!", brüllt Biggi gegen den kläffenden Hund an.

Nadja reicht der Frau die zusammengeknüllten Scheine.

Die Frau schaut auf das Geld, ohne es anzurühren. „Herbert!", ruft sie schließlich in den Flur. „Kommst du mal?"

Herbert kommt und betrachtet über seinen Nickel-
brillenrand eingehend Nadja, die sich gerade die Unterlippe zerkaut.

Nun muss Biggi noch einmal brüllen: „Wir bringen
die Miete von Herrn Thamm!"

„Da gibt es doch wohl ein Konto", sagt der Nickel-
brillenmann.

Der Kläffer verstummt.

Biggi stottert: „Es gab leider Schwierigkeiten mit der
Bank."

Der Mann nickt und greift nach den Scheinen. Dann
verschwindet er mit dem Geld ins Haus.

„Aber wir brauchen noch eine Quittung!", ruft Biggi
ihm hinterher.

Doch der Mann kommt nicht zurück. Allmählich ist
auch Biggi den Tränen nahe. Da nimmt die Frau einen
Zettel von der Flurgarderobe und kritzelt etwas drauf.
„Man ist ja kein Unmensch. Aber das nächste Mal bitte
pünktlich!"

Biggi steckt rasch den Zettel ein und dann laufen sie
beide über den Kiesweg zu ihren Rädern. Der Hund
rast ihnen kläffend zwischen die Beine. Als das Garten-
tor zuschlägt, streckt ihm Nadja die Zunge heraus. Der
Hund wird hinter dem Tor bald toll vor Wut.

13

Nadja liegt schon seit Stunden im Wohnzimmer auf dem Sofa und beobachtet einen Lichtkringel, der langsam über die Dielen wandert. Ihr Vater sitzt am Küchenfenster und raucht. Seit sie vor zwei Tagen die Miete bezahlt hat, rührt er sich nicht mehr aus der Wohnung.

Nadja weiß nicht, was schlimmer ist, seine Trinkerei oder dieses Schweigen. Er hätte wenigstens Danke sagen können.

Der Lichtkringel hat inzwischen die Mitte des Zimmers erreicht und kriecht nun auf Nadja zu. Er ist so groß wie ihre Hand. Ein Lippenstiftherz auf der Fensterscheibe hat ihm seine Form gegeben. Ein Andenken von Mama. Als draußen ein Lastwagen vorbeirumpelt, bebt die Scheibe und das Herz erzittert. Da klingelt es.

Nadja setzt sich auf. Wer soll das sein? Außer Timm fällt ihr niemand ein. Doch der trägt vormittags seine Zeitungen aus. Es klingelt wieder. Ob das die vom

Jugendamt ist? Die wollte doch aber erst nächste Woche kommen.

Nadja schleicht barfuß in den Flur. Dort steht schon ihr Vater und starrt die Wohnungstür an. Nadja fürchtet sich plötzlich vor ihm. Er ist so weit weg auf einmal. Hat er die Klingel überhaupt gehört?

Sie geht an ihm vorbei zur Tür. Es ist ihr auf einmal egal, wer da kommt. Und wenn es die Jugendamtstante ist. Hauptsache, sie muss nicht mehr allein mit ihm sein. Als sie die Hand auf die Türklinke legt, schaut sie sich noch einmal um. Ihr Vater ist schon wieder verschwunden. Schnell öffnet sie die Tür.

„He, Nadja, wir dachten schon, du bist ohne uns ans Schwarze Meer!"

Pascal grinst. Biggi boxt ihm in die Seite, dass er sein Gesicht verzieht.

„Oh Mann, kann man nicht mal einen Scherz machen?", mault er.

Da kommt noch jemand die Treppe hochgehetzt. „Tut mir leid", keucht Timm. „Ging nicht schneller."

Nadja steht noch immer in der Tür. Sie kann sich nicht erinnern, die drei eingeladen zu haben. Vielleicht hat sie aber nur vergessen, dass Freunde auch ohne Einladung kommen. Einer nach dem anderen schlüpft durch den Türspalt.

„Tag, Herr Thamm!", ruft Biggi in die Küche.

Nadjas Vater starrt die drei verwundert an. „Tag", murmelt er.

„Plan Numero zwo", flüstert Timm Nadja zu und schaut sich im Flur um.

„Was denn für ein Plan?", zischt Nadja und zieht die drei in ihr Zimmer.

„Na, deiner Kinderheimtrude werden wir es zeigen!", erklärt er, als er die Tür hinter ihr schließt.

Pascal und Biggi sehen sich in ihrem Zimmer um, als würde sie auf einer Müllkippe wohnen. Sie starren auf Nadjas Schreibtisch. Dass der aus Holzplatten selbst zusammengezimmert ist, hat Nadja bisher nie gestört. Auch das langsame Abblättern der blauen Wandfarbe ist ihr eher wie eine natürliche Witterungserscheinung vorgekommen. Es blättert eben jeden Tag ein bisschen mehr.

„Wir werden eure Wohnung schon wieder hinbekommen!", verkündet Timm begeistert. „Mit Farbe und neuen Möbeln!"

„Und wo willst du das Geld dafür auftreiben?", will Nadja wissen. Sie schuldet Pascal ja schon jetzt drei Hunderter.

„Die Farbe lass mal unsere Sorge sein. Und Möbel stehen doch jetzt überall auf der Straße. Die Leute schmeißen ihr DDR-Zeug weg, weil sie sich neu einrichten! Da sind oft noch richtig gute Sachen bei!"

Nadja schluckt. Sachen von anderen Leuten?! Altes Zeug vom Sperrmüll etwa? Als ob sie Bettler wären.

„Raus!", schreit sie plötzlich. „Verschwindet! Wir brauchen keine neuen Möbel!"

„Mensch, Nadja", versucht Pascal sie zu beschwichtigen. „Ist doch eine super Lösung und kostet absolut nix!"

Doch Nadja ist nicht mehr aufzuhalten. Sie nimmt das Terrarium mit der Mückenzucht und stemmt es über ihren Kopf. Pascal springt fluchend beiseite, als es krachend neben ihm zersplittert.

„Verschwindet!", schreit Nadja. „Ich brauche eure super Lösungen nicht!"

Pascal zeigt Nadja einen Vogel. „Bitte, bitte. Wir wollen uns nicht aufdrängen." Er verlässt als Erster die Wohnung. Biggi folgt ihm mit einem traurigen Blick.

„Überleg es dir doch noch mal", bittet Timm sie leise, bevor auch er geht.

Dann ist es wieder still. Das Terrarium ist in tausend Stücke zersprungen. Überall liegen Glassplitter. Auf dem Schreibtisch, in den Bücherregalen, selbst auf ihrem Lesesessel. Der Boden ist ein einziger Splitterteppich. Nadja steht barfuß am Fenster. Sie schaut in den Hof hinunter. Da liegen noch immer die verkohlten Reste der Fotos. Alles macht sie falsch. Einfach alles.

Sie rollt sich wie ein Engerling unter dem Fenster zusammen und weint leise in sich hinein. Erst ein knirschendes Geräusch lässt sie auffahren. Ihr Vater kommt barfuß über die Splitter. Er hebt Nadja hoch. Für einen kurzen Moment schaut auch er auf die verkohlten Fotoreste im Hof, dann trägt er Nadja wie ein Baby ins Wohnzimmer.

Sie sieht über seine Schulter die blutigen Fußspuren auf den Dielen. Dann liegen sie beide auf dem Sofa, Nadja eingekuschelt in die Armbeuge ihres Vaters. Müde verfolgt sie die Wanderung des Lichtherzens. Als es auf den Dielen nicht weiterkommt, klettert es an einem leeren Regal empor und hängt sich an die Stuckdecke wie eine kleine Lampe. Als die Sonne schließlich untergeht, wird auch dieses Licht gelöscht.

Von der Straße dämmert jetzt nur noch matt die Laterne herauf und schickt die wankenden Schatten der Linden über die Wände. Durch die offenen Oberfenster wispern die Blätter. Was machen wir bloß? Was machen wir bloß?

14

Nadja fährt mit ihrem Rad durch die leeren Straßen. Sie hat es in der Wohnung nicht mehr ausgehalten. Es ist früh am Sonntag, doch der Tag ist bereits müde. Die Nacht hat kaum den vergangenen Tag abgekühlt, schon drückt neue Hitze auf die Stadt. Nadja fährt barfuß. Der Wind wirbelt durch ihre Haare. Wenn sie die Augen schließt, ist es wie am Meer. Über ihr kreischen Möwen und in der Ferne hupt eine Schiffssirene. Sie fährt zur Spree.

Im Park lehnt sie ihr Rad an einen Baum. Das Kinderplanschbecken ist noch leer. Aber irgendwo in der Nähe klappert schon ein Müllauto. Nadja mag diese Zeit kurz nach Sonnenaufgang. Da ist ihr Vater oft mit ihr losgezogen, seinen Fotoapparat im Rucksack. Sie sind durch Parks gelaufen, über Hinterhöfe, vorbei an geschlossenen Kaufhallen. Manchmal haben sie eine Flasche Milch aus den schon angelieferten Kästen getrunken und dann eine Mark dafür hingelegt.

Sie sind auf allen Dächern gewesen, auf die man steigen konnte. In Kanäle ist ihr Vater mit ihr gekrochen und auf Kirchtürme und einmal sogar auf einen Strommast. Doch da durfte Nadja nicht mit hinauf. Sie musste unten Schmiere stehen. Sie haben Maschinenfabriken fotografiert und Altstoffläden, wo man für ein paar DDR-Mark sein altes Papier und Flaschen abgeben konnte. Auch leere Buswartehäuschen, Straßenbahnen, selbst Papierkörbe und liegen gelassene Zeitungen.

Nadja hätte all diesen Dingen kaum Beachtung geschenkt. Aber wenn ihr Vater sie anschaute, wurden sie zu etwas Besonderem, etwas, was plötzlich zu eigenem Leben erwachte. Sie spürte in jeder dieser Fotografien ihren Vater. Seine Neugier, seinen Humor, manchmal auch Wut oder Trauer. Als ob er selbst erst durch seine Fotos sichtbar wurde.

Manchmal wurden sie auf ihrer Pirsch von Polizisten misstrauisch beobachtet. Deshalb wollte Mama nicht, dass er sie mitnahm. Doch Nadja wusste, dass ihr mit ihrem Vater nichts passieren würde. Du bist meine Tarnkappe, hat er manchmal gesagt. Das hat sie nicht verstanden. Eine Tarnkappe macht unsichtbar und beschützt einen. Aber sie war damals erst fünf oder sechs. Wie sollte sie ihn da vor etwas beschützen können?

„Hallo, Nadja!", ruft jemand in die Stille.

Verwirrt schaut sie sich um. „Papa?"

Aber es ist der Sonnenmaler. Sie hat ihn noch nie in Aktion gesehen. In der einen Hand trägt er einen Eimer weißer Farbe, in der anderen einen langstieligen Pinsel. Mit dem winkt er ihr jetzt zu. Farbe tropft auf sein Hemd.

„So früh schon auf?", ruft er.

Seit dem Feuer hat sie den Sonnenmaler nicht mehr gesehen. Sie weiß nicht, worüber sie mit ihm reden soll. Sie kennt ihn eigentlich gar nicht. Aber er begrüßt sie wie eine alte Bekannte.

„Kleiner Morgenausflug, Nadja? Wie geht's deinem Vater?"

Nadja zuckt mit den Schultern. „Wo bekommen Sie eigentlich die ganze Farbe für Ihre Sonnen her?", sagt sie, um abzulenken.

„Brauchst du etwa welche?"

Nadja betrachtet den vollgekleicksten Maler.

„Wart mal kurz hier!", ruft er und läuft noch einmal zur Spree hinunter. Dort malt er auf den Uferweg eine dicke runde Sonne. Dann wirft er den leeren Farbeimer samt Pinsel in einen Papierkorb und wischt sich die Hände an seinem karierten Hemd ab. Pfeifend schlendert er zu Nadja. „Ich zeig dir was. Ist aber ein Geheimtipp. Zu keinem ein Wort. Versprochen?"

Nadja schiebt ihr Rad neben ihm her. Allmählich kommt die Stadt in die Gänge und sie sind nicht mehr allein auf der Straße. Nadja hat keine Ahnung, wo sie hingehen. Als sie vor einem baufälligen Haus mit zugenagelten Ladenfenstern stehen, schaut der Maler sich kurz um. Dann verschwindet er im Hausflur.

Nadja schließt ihr Rad an einen Laternenpfahl und folgt ihm. Obwohl es Sommer ist, schlägt ihr im dunklen Flur feuchte Kälte entgegen. Im Haus scheint kein Mensch mehr zu wohnen. Die Briefkästen quellen über vor Werbung.

„Bin hier oben!" Die Stimme des Malers kommt aus dem ersten Stock. Nadja steigt langsam die morsche Treppe hinauf. Einige Stufen fehlen schon und die gedrechselten Geländerstäbe sind fast alle verschwunden. Sie wagt kaum zu atmen aus Angst, die Treppe könnte gleich unter ihr zusammenbrechen.

Der Maler erwartet sie bereits. „Hier entlang!"

Nadja betritt eine leere Wohnung, die so aussieht, als sei sie schon seit Jahrzehnten unbewohnt. Es riecht säuerlich kalt. Putz bröckelt von den Wänden, Stroh und alte Stromkabel ragen daraus hervor. Nur die Fensterscheiben sind noch heil. Der Maler ist in einem der Zimmer verschwunden. Nadja balanciert ihm auf einem Balken des aufgerissenen Dielenbodens hinterher.

Und plötzlich steht sie in der Schatzkammer des Sonnenmalers. Bis an die Decke aufgestapelt türmen sich in Eimern und Büchsen Farben über Farben. Dazu gibt es Pinsel in allen Größen und anderes Malerzeug. Der Sonnenmaler strahlt sie an.

Nadja kommt eine Idee. „Und das Zeug hier gehört niemandem?", fragt sie ungläubig.

„Unten war zu DDR-Zeiten ein Malergeschäft. Das ist jetzt pleite. War ein VEB, ein volkseigener Betrieb.

Und da wir ja jetzt alle das Volk sind, gehört der Laden doch auch uns." Er grinst.

„Ich brauche nur zwei Eimer mit Weiß", sagt sie.

„Nur zwei?", fragt er verwundert.

Sie will ja nicht die ganze Stadt voller Sonnen malen. Der Maler trägt ihr die schweren Eimer auf die Straße hinunter. Nadja schnappt sich noch einen langen Pinsel und läuft ihm nach.

Die Eimer hängt sie an den Lenker, an jede Seite einen. Das Fahrrad macht unter der Last fast Kopfstand. Sie muss es mit aller Kraft hinten am Sattel niederdrücken.

„Komm mal wieder vorbei!", ruft der Maler ihr nach, als sie das Rad langsam nach Hause schiebt.

15

Nachdem Nadja auch den zweiten Farbeimer in den Flur hochgeschleppt hat, humpelt ihr Vater aus dem Wohnzimmer. Er hat beide Füße mit dicken Binden umwickelt und schaut Nadja entgeistert an. In der Hand hält er eine offene Rotweinflasche.

„Wir werden streichen", sagt Nadja bestimmt.

„Aber warum?", fragt er verwundert und drückt die Flasche gegen seine Brust.

„Warum?! Weil das hier wie im Saustall aussieht!"

Nadja beachtet ihren Vater nicht weiter. Sie schleppt einen Eimer ins Wohnzimmer. Als sie ihn abstellt, springt der Deckel hoch und weiße Farbe schwappt über ihre Jeans.

„Verdammte Scheiße!", flucht sie.

Ihr Vater stellt die Weinflasche ab und zündet sich eine Zigarette an. „Das hat doch keinen Sinn, Nadja. Schade um die Farbe."

Nadja geht in die Kammer und holt sich einen alten

Besenstiel. Sie rührt die Farbe um. Das Weiß ist dick und klumpig. Vielleicht ist die Farbe schon zu alt und taugt nur noch zum Straßenmalen.

Da klappt eine Tür zu und ein Schlüssel dreht sich im Schloss. Vor Nadjas Augen verschwimmt die Farbe. Sie rührt und rührt. Ihr Vater hat sich mit der Weinflasche in der Dunkelkammer eingeschlossen. Bis heute hat er kein einziges Wort über die verbrannten Fotos verloren. Wenn er sie wenigstens bestraft hätte. Aber nichts als Schweigen. Von ihrem Vater ist nur noch eine stumme Hülle übrig. Als ob er sich mit seinen verbrannten Fotos in Luft aufgelöst hat!

Nadja rührt fast den Boden aus dem Farbeimer. Soll er sich halt ausräuchern in der engen Kammer! Sie wird trotzdem streichen. Sie holt ihren alten Kassettenrekorder und legt Batterien ein.

Als sie die Starttaste drückt, hämmern schwere Bässe durch die Wohnung. Die Puhdys! Nun kommt Papa bestimmt gleich rausgerannt. Seit Mama weg ist, erträgt er keine DDR-Musik mehr. Nadja dreht den Rekorder auf volle Lautstärke.

Dann wuchtet sie aus dem Flur die schwere Leiter herüber und rührt noch einmal die Farbe um. Langsam wird das Weiß geschmeidig. Über das alte Ledersofa und die beiden grünen Sessel wirft sie eine Plasteplane. Mehr Möbel zum Abdecken gibt es nicht. Sie holt aus der Küche noch einen kleinen Eimer, um etwas Farbe abzugießen. Im Flur liegt ein alter Strohhut von Mama.

Den setzt sie auf und steigt mit dem Eimer und dem langen Pinsel auf die Leiter.

Aus dem Flur brüllen noch immer die Puhdys, dass *sie keine Ahnung haben, was uns noch alles blüht*. Nadja hat auch keine Ahnung. Sie streicht die Decke.

Es ist gar nicht so leicht, wie sie sich das vorgestellt hat. Nimmt sie nur wenig Farbe, muss sie den Pinsel hundertmal in den Eimer tauchen. Nimmt sie aber mehr, läuft ihr das Weiß ins Gesicht und die Arme herunter.

In den endlosen Schnörkeln der Stuckblumen verschwindet allmählich die Zeit. Als die Puhdys verstummen, hat sie schon ein großes Stück Decke geschafft. Stöhnend klettert sie von der Leiter, um die Kassette umzudrehen. Ihr rechter Arm tut höllisch weh.

Plötzlich klopft es zaghaft. Nadja schleicht zur Wohnungstür. Hoffentlich ist das nicht schon die Tante vom Jugendamt. Es klopft ein zweites Mal. Nadja öffnet. Oma Manke aus dem Seitenflügel steht vor der Tür.

„Guten Morgen", stottert Nadja.

Der alten Frau scheint ihr Besuch peinlich zu sein.

„Kommen Sie doch rein", bittet Nadja.

Frau Manke betritt den Flur und kommt bis an die Schwelle zum Wohnzimmer. „Ich wollte nur mal …"

„Papa ist einkaufen", sagt Nadja halblaut und betet, dass er nicht ausgerechnet jetzt aus seiner Dunkelkammer kommt.

Frau Manke schaut sich im leeren Wohnzimmer um.

„Entschuldigen Sie", stottert Nadja. „Wir streichen gerade."

Als sie klein war, ist sie nach dem Kindergarten oft bei Frau Manke gewesen, wenn ihre Eltern arbeiten mussten. Die hat ihr dann stundenlang Geschichten von van Gogh bis Vermeer erzählt. Jetzt sagt die alte Frau kein Wort.

„Kann ich Ihnen helfen?", fragt Nadja unsicher.

„Ich wollt nur mal sehen, wie es euch geht. Warst ja lange nicht bei mir drüben, Mädchen."

Nadja sieht auf ihre weiß gesprenkelten Hände. „Uns geht's gut."

Frau Manke seufzt. „Wenn was ist, kannst du immer kommen. Aber das weißt du ja."

Nadja nickt und begleitet Frau Manke zur Wohnungstür. Dann macht sie sich wieder an die Arbeit. Bis zum Mittag schafft sie die gesamte Stuckdecke. Da haben auch die Puhdys ausgebrüllt. Und Nadja schmerzt der Hals von der Hitze und den Farbdämpfen.

Als sie erschöpft von der Leiter steigt und sich die Farbe von den Armen wäscht, hört sie Schritte an der Wohnungstür. Oder hat sie sich das nur eingebildet? Es tut ihr jetzt leid, ihre Freunde so angefahren zu haben. Ob das Timm ist?

Sie öffnet die Tür. Es ist aber nicht Timm. Es ist niemand. Nur ein großer Kochtopf auf dem Fußabtreter. Nadja hebt den Deckel hoch. Heiße Bohnensuppe dampft ihr entgegen, ihr Lieblingsessen. Sie schleppt den schweren Emailletopf in die Küche und löffelt die Bohnen gleich aus dem Topf. Erst als ihr der Bauch wehtut, hört sie auf. Da ist der Topf halb leer.

Ihr kommt eine Idee. Sie stürmt aus der Wohnung und rennt zum Spielplatz nebenan. In den mickrigen Rabatten wachsen noch ein paar Rosen. Nadja knickt schnell drei Stiele ab und rennt damit zurück. Wie ein Indianer schleicht sie über den Hof und in den Seitenflügel. Im dritten Stock legt sie die Rosen vor die Tür und klingelt. Dann läuft sie schnell davon.

Als sie wieder in ihre Wohnung kommt, steht die Dunkelkammer offen. Ihr Vater ist fort. Zuerst bekommt sie einen Schreck und läuft zum Wohnzimmerfenster, wo sie zur Kneipe hinüberschauen kann. Doch die hat noch geschlossen. Vielleicht ist er ja nur ein bisschen spazieren gegangen.

Sie rückt die schwere Leiter ein Stück weiter und gießt wieder Farbe ab. Irgendwie fühlt sie sich auf einmal viel besser. So schlimm ist das doch alles gar nicht. Sie wird jetzt einfach immer aufpassen, wenn Mamas Geld kommt und davon selbst die Miete zahlen.

Ihre Turnschuhe halten schon noch den Sommer über. In dieser Hitze braucht sie ja eigentlich gar keine Schuhe. Und ans Meer fahren muss sie auch nicht. Im Park haben sie den Springbrunnen angestellt. Wenn die Frau vom Jugendamt kommt, hat sie die Wohnung längst fertig. Dann kann die nichts mehr sagen. Nadja muss sich nur richtig anstrengen.

Sie streicht den ganzen Nachmittag. Obwohl alle Fenster weit offen stehen, wird die Hitze am Nachmittag unerträglich. Die Luft in der Wohnung bewegt sich überhaupt nicht mehr. Und die Farbe trocknet ihr schon unter dem Pinsel weg. Doch sie streicht ohne Pause. Der Schweiß brennt ihr in den Augen. Zwischendurch trinkt sie Wasser aus der Leitung.

Als es langsam dunkel wird, ist sie mit dem Wohnzimmer fertig. Beide Eimer Farbe hat sie verstrichen. Sie lässt den Pinsel fallen. Ihre Arme und der Rücken schmerzen höllisch. Sie ist todmüde, aber sie hat es geschafft!

Erschöpft kriecht sie unter die Abdeckplane. Das Ledersofa ist angenehm kühl. Als sie sich ausstreckt, bröckeln die getrockneten Farbspritzer von ihrer Haut. Doch sie ist viel zu müde, um noch einmal aufzustehen und sich zu waschen. Außerdem haben sie ja keinen Strom, da funktioniert die warme Dusche eh nicht. Aber das macht nichts. Das macht gar nichts.

16

Nadja lauscht den Kirchenglocken. Es ist drei Uhr morgens. Wie zerschlagen kriecht sie vom Sofa. In ihrem Kopf hämmert es dumpf. Sie stellt sich ans offene Fenster, um den Farbgeruch aus der Nase zu bekommen. Und da sieht sie ihn. Gegenüber im Biergarten. Er hat ein Akkordeon auf den Knien und singt. Die Leute an den Tischen klatschen den Takt dazu.

Silke kommt gerade mit einem vollen Tablett aus der Kneipe. Sie verteilt die Runde auf dem Tisch von Nadjas Vater. Der macht eine einladende Geste. Die Leute prosten ihm zu. Auch von den anderen Tischen.

Da überkommt Nadja eine böse Ahnung. In ihrem Magen dreht sich alles.

Sie schafft es gerade noch zum Klo, ehe sie sich übergeben muss. Ihr Herz rast. Sie klammert sich am Waschbecken fest und lässt kaltes Wasser über ihre Hände laufen, bis es anfängt zu stechen.

„Das kann er doch nicht machen", flüstert sie heiser

in den Ausguss. „Das kann er doch nicht machen!" Wie konnte sie nur vergessen, dass heute der Monatserste ist!

Als ihr Magen sich wieder beruhigt hat, überlegt sie, ob noch irgendwas zu retten ist. Ihr Vater kann doch unmöglich schon das ganze Geld, das Mama ihnen da immer schickt, ausgegeben haben. Aber was soll sie tun? Einfach hinübergehen und sagen: *Das ist mein Geld?* Sie kann doch aber auch nicht einfach zusehen!

Nadja läuft los. Sie huscht über die dunkle Straße und schlüpft durch den Hofeingang von hinten in die Kneipe. Drinnen sitzt kein Mensch. Der Ventilator quirlt heiße Luft. Nur der Wirt steht hinterm Tresen und zapft ohne Unterlass Bier.

Als er Nadja erblickt, zieht er eine Augenbraue hoch und lacht. „Hallo, Nadja! Dein Alter hat heute seine Spendierhosen an! Er hat schon das halbe Lokal eingeladen!"

In diesem Moment kommt Silke mit einem Tablett leerer Gläser von draußen. „Komm mit", flüstert sie Nadja zu und verschwindet nach hinten.

Nadja stolpert Silke hinterher. Auf dem Damenklo heult sie los. „Er darf nicht weitertrinken, Silke!"

„Das hier ist eine Kneipe, Schätzchen." Silke zündet sich eine Zigarette an und betrachtet Nadja.

„Versteh doch", heult Nadja. „Es war das Geld von meiner Mutter! Es war für die Miete! Nee, für Pascal. Er hat es mir doch nur geborgt!"

„Und was soll ich da machen?" Silke zieht an ihrer Zigarette. „Soll ich deinem Vater verbieten zu trinken?" Sie lacht. „Dann schmeißt mich der Wirt raus. Und wie soll *ich* dann meine Miete bezahlen?"

Nadja starrt Silke wütend an. „Ihr seid alle so gemein!"

„Aber du bist was Besseres, ja? Spielst den heiligen Samariter für deinen Alten!"

Wütend stürmt Nadja aus dem Klo quer durchs Lokal nach vorn in den Biergarten. Ihr Vater spielt laut ein Russenlied.

„Hör sofort auf!", schreit sie.

Ihr Vater dreht sich unwillig nach der Störung um. Mit einem Mal ist ihr völlig egal, was die Leute denken. „Es war auch mein Geld! Meins!", schreit sie.

Irritiert schaut ihr Vater sie an. Als er Nadja erkennt, lacht er erleichtert. „Meine Tochter! Ist sie nicht ein prächtiges Mädel!", ruft er den Gästen zu.

Doch die sind verstummt und schauen betreten.

„Sie versaufen gerade unsere Miete!", schreit Nadja sie an. „Unsere Miete!" An den Außentischen fangen die Ersten an, sich leise zu verdrücken. „Ja, Sie auch!", brüllt Nadja ihnen nach.

Inzwischen ist der Wirt nach draußen gekommen und versucht, sie zu beruhigen. Als immer mehr Leute gehen, wird er sauer: „Mir meine Gäste zu vertreiben! Wenn du meine wärst!" Er droht ihr mit der Hand.

Aber Nadja hat nur Augen für ihren Vater.

Er ist auf einen Stuhl gesunken. Je länger sie ihn anschaut, umso stiller wird er. Er wagt nicht einmal mehr hochzuschauen.

Plötzlich drängelt sich der Wirt zwischen sie. „Na, dann wird es jetzt wohl Zeit für die Rechnung, Herr Thamm."

Nadja erstarrt, als ihr Vater vier blaue Scheine aus seiner Hosentasche holt und dem Wirt gibt. Der kramt ein paar Markstücke aus seiner Bauchschürze und legt sie auf den Tisch. „Schönen Abend noch", murmelt er und verschwindet rasch in seinem Lokal.

Silke sammelt wortlos die letzten Gläser ein. Dann ist auch sie weg und Nadja bleibt allein mit ihrem Vater.

Der heult jetzt leise. „Du bist doch meine Einzige!"

Nadja nimmt die Markstücke vom Tisch. Da legt ihr Vater seinen Kopf auf ihren Arm. Sie befreit ihn erst mal vom Akkordeon und stellt es auf den Tisch. Als ihr Vater aufsteht, will sie ihn stützen, doch er fällt sofort zwischen die Stühle. Sie versucht ihn hochzuziehen.

„Lass mich einfach hier schlafen", nuschelt er.

Wütend gießt Nadja ihm ein halb volles Bierglas ins Gesicht. Erschrocken setzt er sich auf. Sie versucht es ein zweites Mal. Wenigstens bleibt er jetzt stehen.

Da kommt Silke aus dem Lokal. Sie hat jetzt Feierabend. „Komm, ich helf dir", sagt sie zu Nadja und hakt ihren Vater auf der anderen Seite unter. Gemeinsam schleppen sie ihn über die Straße. Auf der Treppe wird es noch einmal schwierig. Hier will er am liebsten liegen bleiben. Doch Silke bugsiert ihn weiter. Sie lässt ihm erst eine Verschnaufpause, als sie ihn oben in der Wohnung haben.

„Ins Schlafzimmer", dirigiert Nadja. Dort fällt ihr Vater auf sein Bett und schläft sofort ein.

„Danke", sagt sie leise zu Silke.

Die hört Nadja jedoch gar nicht zu. Stattdessen schaut sie sich in der Wohnung um. „Hat bei euch eine Bombe eingeschlagen?" Sie rümpft die Nase. „Was stinkt denn hier so?"

Nadja zeigt ihr stolz das Wohnzimmer. „Hab ich ganz allein gestrichen!"

Silke ist weniger begeistert. „Aber womit denn, Herzchen?" Sie betrachtet den leeren Farbeimer. Das Papierschild verkündet: nur für Außenanstrich!

Silke läuft durch die Wohnung und reißt sämtliche Fenster auf, damit ein Durchzug entsteht. Dann schüttelt sie den Kopf. „Ich würde an deiner Stelle nach Hamburg abhauen. Mit deinem Alten kannst du hier keine Primel mehr gewinnen."

Nadja ist auf einmal unendlich müde. Sie möchte weg. Weit weg. Aber sie kann ihren Vater einfach nicht allein lassen.

Silke setzt sich zu Nadja auf die Dielen. „Lass dir wenigstens von den Jungs beim Malern helfen."

„Das geht nicht."

„Wieso geht das nicht?"

„Ich hab sie rausgeschmissen."

Silke legt Nadja einen Arm um die Schultern. „Ich kann ja noch mal mit ihnen reden. Einverstanden?"

Nadja nickt müde.

„Und jetzt kommst du erst mal mit zu mir. In dem Gestank kann ja keiner schlafen."

Nadja versucht etwas zu erwidern, doch Silke schneidet ihr mit einer Handbewegung das Wort ab. „Ohne Geld kann er ja nicht mehr viel anstellen. Also los, gehen wir."

17

Nadja träumt, sie schwimmt im Meer. Sanft wiegen die Wellen sie im warmen Wasser. Sie hat die Augen geschlossen und die Sonne scheint ihr ins Gesicht. So hell, als wollte sie Nadja von innen betrachten. Leises Stimmengemurmel dringt an ihr Ohr. Mama? Ist sie zurückgekommen? Nadja lauscht angestrengt. Sie wagt es nicht, die Augen zu öffnen. Frischer Brötchenduft kitzelt ihre Nase. Und ihr Name klingt wie eine leise Frage. Nadja? Da schwappt die Welle über ihr zusammen und sie bekommt keine Luft mehr. Sie reißt die Augen auf.

Eingewickelt in einen dicken Schlafsack liegt sie in einem fremden Zimmer. Die Sonne brennt heiß durchs Fenster. Verschwitzt kriecht sie aus dem Schlafsack. Nebenan aus der Küche dringt Gelächter. Schlagartig fällt ihr die vergangene Nacht wieder ein. Ob Silke gerade von ihrem Vater erzählt, wie sie ihn nach Hause schleppen mussten? Und alle lachen sich jetzt darüber kaputt?

Nadja schleicht auf Strümpfen in den Flur. Durch die angelehnte Küchentür sieht sie Timm und Robert am Tisch sitzen und frühstücken. Schnell greift sie ihre Turnschuhe und läuft aus der Wohnung. Jemand ruft ihr nach.

Doch Nadja rennt. Sie rennt auf Strümpfen heim. In den nächsten hundert Jahren wird sie ihre Wohnung nicht mehr verlassen. Sie wird einfach abschließen und den Schlüssel im Klo runterspülen.

Als sie daheim in den Flur kommt, schlägt ihr Essensgeruch entgegen. Verwundert geht sie in die Küche. Auf dem Gasherd blubbern Töpfe. Sie hebt die Deckel hoch: Kartoffeln, Rotkohl, Möhren? Und unten in der Backröhre brutzelt ein Hähnchen vor sich hin. Vielleicht hat ihr Vater ein schlechtes Gewissen wegen der vergangenen Nacht.

Nadja geht ins Wohnzimmer. Die Fenster stehen noch immer sperrangelweit offen. Der fürchterliche Farbgestank ist jetzt aber verflogen. Sie betrachtet ihr Werk bei Tageslicht. Der neue Anstrich hat das Zimmer einsam und leer gemacht. Zum ersten Mal vermisst sie die rumpelige Gemütlichkeit der vielen Fotos.

Ihr Vater sitzt im Schlafzimmer im Sessel und starrt aus dem Fenster. Er bemerkt Nadja nicht. Sie legt ihm ihre Hand auf die Schulter. Doch nicht einmal jetzt schaut er sie an.

Wenigstens ist er da, denkt sie. Und er hat gekocht. Ein seltsames Gefühl kriecht ihren Hals hinauf. Erst als sie wieder im Flur steht, merkt sie, dass ihr Tränen über die Wangen laufen. Sie geht in ihr Zimmer.

Da wartet jemand auf ihrem Schreibtischstuhl – mit ihrem Zeugnis in den Händen. Erschrocken wischt Nadja sich übers Gesicht. „Mama?", sagt sie leise.

Ihre Mutter steht schnell auf und kommt auf sie zu. Zuerst will sie Nadja umarmen, doch dann geht sie vor Nadja in die Hocke und sagt ebenso leise: „Hallo, meine Große."

Nadja wird eingehüllt in eine Wolke aus blumigem Parfüm. Wie ein fremder Sommer sieht ihre Mama in dem kurzen weißen Rock und der himmelblauen Bluse aus. Nadja trägt ein verschwitztes T-Shirt und eine kaputte Jeans. Und die Strümpfe sind auf dem Herweg auch zerrissen. Sie schaut an ihrer Mutter vorbei in die Kastanie im Hof.

„Ich dachte, wir feiern dein Zeugnis", sagt ihre Mutter und versucht zu lächeln.

Die Worte dringen wie aus weiter Ferne zu Nadja. Sie feiern ihr Zeugnis? Bedeutet das, Nadja kann hierbleiben und nach den Ferien in die nächste Klasse gehen? Zusammen mit ihren Freunden?

Als sie nichts sagt, steht ihre Mutter auf und geht in die Küche. Nadja folgt ihr. Geschäftig hantiert sie mit den Töpfen. Plötzlich dreht sie sich um und nimmt Nadja in die Arme. Nadja will sie erst abwehren, doch auf einmal kann sie gar nichts mehr dagegen tun.

„Ihr fehlt mir so", flüstert ihre Mutter. „Jeden Tag."

„Dann komm doch wieder nach Hause."

„Du weißt, dass das nicht geht, Nadja. Wovon sollen wir dann leben?"

Als ihr Vater in die Küche kommt, stellt er wortlos drei Teller auf den Tisch und trägt das Essen auf. Nadja setzt sich auf ihren Platz. Das Hähnchen dampft vor sich hin. Ihre Mutter gießt allen Saft ein. Er ist lauwarm.

„Der Kühlschrank ist wohl kaputt", sagt sie. „Er kühlt ja gar nicht mehr."

Nadja starrt auf ihren Teller. Sie spürt den bittenden Blick ihres Vaters. Der Strom ist noch immer abgestellt.

„Morgen kommt der Monteur", nuschelt sie und schiebt sich dann schnell zwei Gabeln Möhren in den Mund.

„Ach so."

Als Nadja das Gemüse hinuntergewürgt hat, schaut sie ihre Mutter erstaunt an. Früher hat sie sofort gemerkt, wenn Nadja gelogen hat. Warum merkt sie es jetzt nicht mehr? Nadjas Vater blickt nur auf sein Essen. Er scheint genauso wenig wie Nadja zu wissen, was er von dem Besuch halten soll. Nichts scheint mehr normal zu sein. Nicht einmal ein gemeinsames Mittagessen.

„Wo habt ihr denn die Fotos gelassen, Robert?", fragt Nadjas Mutter unvermittelt.

„Ich habe sie verkauft. Und jetzt renovieren wir."

Er lächelt Nadja an. Nadja lächelt nicht. Sie stopft Möhren und Kartoffeln in sich hinein.

Die Mutter schaut ungläubig. „An diesen Amerikaner etwa? Sag, dass das nicht wahr ist, Robert!"

Nadjas Mutter sitzt plötzlich wie versteinert da. Dann steht sie auf und geht durch die Wohnung. Sie schaut in jede Ecke, guckt hinter jeden Vorhang und rüttelt auch an der verschlossenen Dunkelkammertür. Dann kommt sie wieder an den Tisch.

„Hast du wirklich alle verkauft?" Ihre Stimme kippelt leicht. „Nicht einmal eins von Nadja hast du aufgehoben?"

Nadja sieht ihren Vater fragend an. „Was für ein Amerikaner denn?"

Doch der schüttelt nur den Kopf. Ihre Mutter holt tief Luft und streichelt Nadja wie zur Entschuldigung über die Hand.

„Weißt du, Nadjenka, ich wollte dir die Entscheidung überlassen, wo du leben möchtest. Vielleicht war das falsch, weil du das gar nicht kannst. Ich habe mit deinem Vater besprochen, dass du nach den Sommerferien zu mir ziehst."

Nadja erstarrt auf dem Küchenstuhl. War das jetzt eine Bitte oder ein Befehl? Das können sie doch nicht machen! Niemand sagt etwas, als Nadjas Mutter aus ihrer Handtasche einen weißen Umschlag zieht und ihn neben Nadjas Teller legt. „Für eure Bulgarienreise." Dann geht sie in den Flur.

Ihr Vater scheint endlich aus seiner Lähmung zu erwachen. Er geht ihr nach. Nadja wartet, dass die Wohnungstür ins Schloss fällt. Doch nichts passiert. Es bleibt still. Sie sitzt auf ihrem Stuhl und starrt auf den Teller, bis sie es nicht mehr aushält.

Ihre Eltern stehen im Flur und halten sich in den Armen. Nun versteht Nadja überhaupt nichts mehr. Sie dachte schon fast, die beiden wollten sich scheiden lassen. Zumindest scheinen sie wieder gemeinsame Sache zu machen, was Nadja betrifft. Als ihre Mutter sie bemerkt, löst sie sich verlegen aus der Umarmung.

Nadja fährt sie wütend an: „Und was ist mit eurem Versprechen?"

Ihre Mutter schaut irritiert. „Was denn für ein Versprechen?"

„Niemand verlässt das Land, wenn einer von uns in Gefahr gerät!"

Nur langsam kämpft sich die Erinnerung in das Gesicht ihrer Mutter zurück. Nadja sieht den fernen Sturm darin und ihre Angst. Aber da ist noch etwas, was sie nicht an ihr kennt.

„Nadja, das Land gibt es nicht mehr", sagt ihre Mutter schließlich.

Nadja schüttelt den Kopf. Das ist nicht wahr! Das Land gibt es noch. Jeden Tag lebt es in ihrem Vater weiter. Auch ohne seine Fotos. Sieht Mama das denn nicht?!

„Grüßt Grigori von mir."

Nadjas Vater schließt hinter ihr leise die Tür. Dann geht er in die Küche und macht sich an den Abwasch. Nadja folgt ihm wütend. „Du schickst mich einfach weg!"

Ihr Vater setzt sich auf einen Küchenstuhl, die tropfenden Hände auf dem Schoß. „Mir bleibt doch keine Wahl, Nadja. Mach es uns doch nicht so schwer."

Das ist ja mal ganz was Neues. Nun ist *sie* vielleicht noch schuld an allem! Sie schnappt sich den Umschlag vom Tisch und verschwindet in ihr Zimmer. *Grüßt Grigori! Wie denn?*, denkt Nadja und öffnet den Umschlag. Sechs blaue Geldscheine segeln auf die Dielen. Sprachlos starrt sie das Geld an. Sechshundert Mark! Das reicht für die Zugfahrkarten. Sie könnten also wirklich fahren.

Doch mit Timm hat sie es sich für alle Zeiten verdorben. Er hat bestimmt keine Lust mehr, mit ihr wegzufahren. Und Pascal und Biggi? Sie hat sie rausgeworfen. Da kann sie jetzt nicht einfach anrufen und so tun, als ob alles in Ordnung wäre. Nadja sammelt die Scheine auf und steckt sie alle in ihr Sparschwein.

Und nun? Keine Reise. Keine Freunde. Und so viele Lügen, dass Nadja überhaupt nicht mehr klar denken kann. Warum hat ihr Vater nicht gesagt, dass sie die Fotos abgefackelt hat? Was soll denn die Geschichte mit dem Amerikaner? Ihr Vater würde nie seine gesamten Fotos verkaufen! Und wenn sie noch tausend Jahre niemand anschaut. Er ist nicht käuflich.

Während sie sich seit Wochen den Kopf zerbricht, hat er mit ihrer Mutter längst ausgemacht, dass sie nach den Ferien nach Hamburg zieht. Deshalb hat sie Nadja so viel Geld gegeben. Für eine Abschiedsreise!

Wütend starrt Nadja ihr kleines blaues Sparschwein an. Nein, es wird keine Abschiedsfahrt geben! Sie wirft das Schwein an die Wand. Es hagelt Scherben. Schnell sammelt sie die Geldscheine auf. Dann rennt sie aus der Wohnung.

18

Eine halbe Stunde steht sie nun schon vor dem Haus und starrt auf das goldene Namensschild. Sie traut sich nicht zu klingeln. Fast ein Jahr war sie nicht mehr hier. Inzwischen ist aus dem alten Mietshaus eine voll sanierte Luxusbleibe geworden.

Als jemand aus der Haustür kommt, schlüpft Nadja schnell hinein. Im Treppenhaus ist es angenehm kühl. Sie bewegt ihre nackten Zehen auf dem hellen Marmor und betrachtet die hohen Spiegel, die in den Seitenwänden eingelassen sind. Es riecht nach frischer Farbe.

Vor ihr rollt sich ein langer roter Kokosläufer die Treppe hinauf. Nadja schleicht neben ihm die Stufen hoch, weil der harte Läufer unter ihren nackten Füßen pikt. Stumm glänzen die neuen Klingelschilder. Jede Tür droht mit dem gleichen fauchenden Löwenkopf. Am liebsten würde sie wieder umkehren.

Im vierten Stock bleibt sie stehen. *Müller* steht an der Tür. Sie hat ein bisschen gehofft, sie würden vielleicht nicht mehr hier wohnen. Zögernd greift sie dem Löwen ins Maul und drückt den Klingelring. Fast im selben Moment öffnet ihr ein braun gebrannter Mann. Auch er ist barfuß.

„Hallo, Nadja", sagt er. „Du machst es richtig! Bei der Hitze braucht man keine Schuhe." Einladend öffnet er die Tür.

Nadja schüttelt den Kopf. Sie will nur etwas abgeben. Da kommt seine Frau in den Flur. Sie gibt Nadja erfreut die Hand und zieht sie herein. Nadja hat keine Chance. Sie tappt über den hellen Teppich hinter ihr her. Die Frau dirigiert sie ins Wohnzimmer und drückt sie lächelnd in einen tiefen weißen Ledersessel. „Pascal muss gleich kommen", sagt sie.

Nadja schaut sich verstohlen um. Seit sie das letzte Mal hier gewesen ist, haben Pascals Eltern ihre Wohnung völlig neu eingerichtet. Nur die kleine Fotogalerie über dem Sofa erkennt Nadja wieder. Es sind alte Haustüren aus ihrem Kiez. Große Torflügel, von Wind und Wetter angenagt, andere mit wunderschönen Jugendstilschnitzereien verziert oder von ihren Bewohnern bunt bemalt.

Pascals Vater stellt eine kalte Cola vor Nadja auf den Glastisch. „Das ist vielleicht eine Hitze", stöhnt er. „Da trocknet einem der Beton schon im Mischer."

Nadja nickt und nippt an ihrer Cola. Sie schaut noch immer auf die Fotos.

Pascals Vater bemerkt ihren Blick. „Die hat mir mal

dein Vater geschenkt. Werd ich ihm nie vergessen. Was macht er denn jetzt? Ich hab ihn schon ewig nicht mehr gesehen."

Pascals Mutter wirft ihrem Mann einen eindringlichen Blick zu.

„Man wird wohl mal fragen dürfen", sagt er entschuldigend. „Hat doch keiner leicht heutzutage."

Da stürmt Pascal in die Wohnung. Als er Nadja sieht, stutzt er und sagt nur: „Ach."

„Begrüßt man so eine junge Dame, Sportsfreund?", schilt ihn sein Vater.

Pascal deutet eine übertriebene Verbeugung an. „Habe die Ehre, Mademoiselle, Sie in mein Gemach zu führen."

Nadja stellt ihre Cola auf den kleinen Glastisch und folgt ihm in sein Zimmer. Pascal schließt die Tür hinter ihr. Nadja kramt gleich die drei Hunderter aus ihrer Jeanstasche und legt sie auf sein Bett. „Tut mir leid", sagt sie. „Und danke noch mal."

Pascal macht eine abwehrende Handbewegung. „Und was willst du jetzt machen?"

„Mir fällt schon was ein."

Pascal schaut auf ihre nackten Füße. „Allein schaffst du das nie."

„Doch", entgegnet sie trotzig. „Das Wohnzimmer habe ich schon gestrichen."

„Das meine ich nicht." Pascal nimmt die drei Hunderter und wedelt damit vor ihrer Nase herum. „Jeden

Monat, Nadja. Du brauchst jeden Monat dreihundert Mark! Wo willst du die denn hernehmen?"

Nadja denkt an das Geld, das ihre Mutter immer geschickt hat. Das wird sie jetzt wohl nicht mehr tun nach ihrem Entschluss.

„Ich kann doch arbeiten", sagt sie leise. „Zeitungen austragen oder so."

„Mann, Nadja, dafür ist dein Vater da!"

Nadja schüttelt den Kopf. „Er kann aber nicht. Er *kann nicht*! Kapiert ihr das denn nicht?"

„Nee, kapier ich wirklich nicht", sagt Pascal hilflos.

„Er ist Fotograf. Aber niemand will mehr seine Bilder sehen."

„Dann muss er eben was anderes machen."

Nadja hat die Türklinke schon in der Hand. „Und außerdem", sie schluckt, „habe ich seine Fotos doch alle verbrannt."

Nun ist es raus.

„Ach, du Scheiße!" Pascal lässt sich aufs Bett fallen. „Und was hat er dazu gesagt?"

„Nichts." Nadja hält die Türklinke so fest, dass ihre Handknöchel weiß hervortreten.

„Nichts? Du spinnst! Du verbrennst sein Lebenswerk und er sagt *nichts*?"

„Das verstehst du nicht." Nadja beißt sich auf ihre Unterlippe.

„Dann erklär es mir bitte."

„Ich versteh es doch selbst nicht."

Dann dreht sie sich um und geht. Zum Glück sind Pascals Eltern noch im Wohnzimmer. Leise läuft sie durch den Flur und huscht aus der Wohnung. Im Treppenhaus rennt sie den piksenden Läufer hinunter, zerrt mit aller Kraft die schwere Haustür auf und springt die letzten Stufen auf den Gehweg. Dabei reißt sie eine Passantin um, die gerade ins Haus will.

„Hey, Nadja", sagt Biggi und rappelt sich wieder auf.

Nadja will schon die Flucht ergreifen, doch Biggi packt sie am Arm. „Komm", sagt sie, „wir gehen ein Eis essen."

Nadja seufzt. Auch das noch! Biggi bugsiert sie in das kleine italienische Eiscafé gegenüber. Es hat neu aufgemacht. Sie setzen sich draußen unter einen Sonnenschirm. Der Kellner kommt gleich herbeigeeilt und überreicht ihnen mit großer Geste die Eiskarte. Sie müssen kichern.

Nadja studiert die Preise und schiebt die Karte dann von sich. Sie will schon wieder aufstehen, da sagt Biggi schnell: „Ich lade dich ein. Meine Oma war am Wochenende zu Besuch."

Nadja kramt in ihrer Jeans. Sie legt die restlichen drei Hunderter auf den Tisch.

Biggi bekommt große Augen. „Wahnsinn", flüstert sie, „dreihundert Mark! Da kannst du ja groß shoppen gehen!"

„Hast du sie noch alle?", fährt Nadja sie an.

Sie kramt ein paar Münzen aus ihrer Hosentasche und zählt sie auf dem Tisch ab. Die Scheine steckt sie wieder ein.

Biggi kann sich nicht beruhigen. Sie schwärmt Nadja vor, was sie sich davon alles kaufen könnte: einen CD-Player, Turnschuhe, echte Westjeans. Als der Kellner mit den Eisbechern kommt, legt Nadja ihm gleich das Geld hin. Dann löffelt sie stumm ihr Eis.

Biggi ist beleidigt. „Mit dir ist ccht nichts mehr los, Nadja!"

„Musst ja nicht mit mir Eis essen!" Mit einem Satz springt Nadja auf.

Biggi zieht sie am Arm wieder auf den Stuhl. „Tut mir leid. War doch nicht so gemeint."

Nadja bohrt mit ihrem nackten Zeh in der Ritze zwischen den Terrassenplatten.

„Früher haben wir so viel unternommen. Und jetzt hockst du nur noch daheim. Als ob du das Kindermädchen von deinem Vater wärst."

Nadja starrt ins Leere. „Hast ja Recht. Aber was soll ich denn machen?"

„Ferien. Mach einfach Ferien!"

„Das kann ich nicht, versteh doch." Und sie erzählt auch Biggi von den verbrannten Fotos, von dem Abschiedsgeld ihrer Mutter und von der Reise, aus der nun nichts mehr wird. Auch den abgestellten Strom lässt sie nicht aus.

Zum Schluss legt sie die letzten drei Hunderter auf

den Tisch und streicht sie mit der Hand glatt. „Das ist noch mal eine Miete, Biggi, verstehst du?"

Biggi holt tief Luft. „Mensch, Nadja, also ich würde nach Hamburg ziehen, weg aus dem Osten hier."

19

Nadja geht zufrieden heim. In ihrer Hosentasche knistert die Miete für einen Monat. Alles wird gut, denkt sie. Fahren wir eben nicht ans Meer. Wenn sie sich nur richtig anstrengt, kann sie hierbleiben und muss nicht nach Hamburg.

Als sie die Wohnung betritt, hört sie Stimmen aus dem Wohnzimmer. Besuch? Schon seit Langem hat ihr Vater keinen Besuch mehr gehabt. Jetzt lacht er. Wer mag das sein? Einer seiner Kneipenfreunde?

„Ist doch alles egal", hört sie ihren Vater sagen.

„Ist es nicht. Und außerdem hast du eine Tochter", entgegnet der Besucher.

„Du doch auch."

„Meine Tochter? Weißt du, was sie zu mir gesagt hat? Einen Penner will sie nicht zum Vater. In ihren Studiengeldantrag hat sie *Vater verstorben* reingeschrieben! Stell dir das mal vor!"

Nadja fühlt sich ziemlich unwohl auf ihrem Horchposten. Sie will nicht lauschen, doch um ins Wohnzimmer zu gehen, ist es jetzt zu spät. Sie traut sich nicht weiter.

„Deine Tochter hätte sich nicht verändert, wenn die Zeiten sich nicht geändert hätten", sagt Nadjas Vater. Es soll tröstend klingen. Nadja kennt diesen Ton an ihm. So hat er früher oft mit ihr geredet, als sie noch klein war. Komisch, ihn so mit einem erwachsenen Mann reden zu hören. Aber sie findet es ja schon seltsam, ihn überhaupt reden zu hören.

Der Besucher scheint jedenfalls nicht auf Trost aus zu sein. „Der Sozialismus ist eben gescheitert", erwidert er bedauernd, als wäre damit alles erklärt.

Nadjas Vater schweigt einen Moment, ehe er sagt: „Nicht der Sozialismus, sondern der Mensch ist gescheitert als menschliches Wesen. Aber vielleicht haben wir einfach zu viel erwartet."

Da rutscht Nadja die Türklinke aus der Hand. Mit einem Knall fällt die Wohnungstür hinter ihr zu.

„Nadja, bist du das?", ruft ihr Vater in den Flur.

Nadja geht zögernd ins Wohnzimmer. Ihr Vater hockt mit dem Besucher auf den Dielen, zwischen ihnen steht eine offene Weinflasche.

„Hallo, junge Dame", sagt der Sonnenmaler.

„Hallo", murmelt Nadja.

„Setz dich doch zu uns." Ihr Vater macht eine einladende Geste. Nadja setzt sich unwillig zu den beiden auf den Boden. Sie starrt auf die Weinflasche. Die muss der Maler mitgebracht haben. Der zeigt jetzt anerkennend auf die geweißten Wände.

„Wozu so alte volkseigene Farbe noch taugt, was? Habt ihr beide ja toll hingekriegt! Vor allem den Stuck an der Decke. Alle Achtung für ’nen Kunstfotografen!" Das letzte Wort zieht er ein wenig in die Länge. Es soll wohl lustig klingen, doch Nadjas Vater kann darüber nicht lachen.

„Nadja hat gemalert", sagt er nur.

Der Maler schaut Nadja erstaunt an. „Allein?"

Nadja würde sich am liebsten in Luft auflösen. Kann sie denn überhaupt nichts mehr tun, ohne damit gleich die Unfähigkeit ihres Vaters zu zeigen, der anscheinend überhaupt nichts mehr kann? Nicht einmal mehr ein Zimmer malern? Aber zum ersten Mal spürt Nadja, dass es um mehr geht, als nur darum, ein Zimmer anzustreichen. Für sie ist es nur ein Zimmer. Für ihren Vater ein Ort voller Erinnerungen, von dem er einfach nicht loskommt.

Der Sonnenmaler legt voller Anerkennung den Kopf schräg und betrachtet die sauber gemalten Blätter an der Stuckdecke. Leise schnalzt er mit der Zunge. „Hast du ein Glück, Robert."

Dann gleitet sein Blick über die leeren Wände. „Aber ohne Fotos ein bisschen kahl, findest du nicht? Als ich das letzte Mal bei euch war, konnte man vor lauter Bildern kaum einen Fuß vor den anderen setzen."

Er kichert und nimmt einen großen Schluck aus der

Weinflasche. „Hast du sie etwa an diesen reichen Ami verhökert? Die kaufen doch jetzt alles. Unsere Fabriken, unsere Häuser, unsere Frauen."

Auf einmal ist die Stimmung umgeschlagen. Der Sonnenmaler klingt verbittert.

Nadja schleicht aus dem Zimmer und klettert in ihr Bett. Die beiden Männer fangen jetzt im Wohnzimmer an zu singen. Irgendwie sind alle total verrückt geworden, denkt Nadja. Sie weiß nicht, was das ist – Sozialismus. Sie weiß nur, sie hatte einmal einen Vater und eine Mutter. Und nun hat sie niemanden mehr. Außer Timm vielleicht. Doch vor ihm schämt sie sich, denn in seiner Familie ist immer alles in Ordnung. Nur bei ihr nicht.

Ausgestreckt liegt sie auf ihrem Bett. Sie betrachtet die Fotos neben sich an der Wand. Die hat ihr Vater wohl übersehen. Fotos von vergangenen Reisen. Nadja ist schon durch die halbe Welt gefahren, als sie noch nicht einmal laufen konnte. Von den Schultern ihres Vaters hat sie das erste Mal den Kaukasus gesehen und das funkelnde Budapest bei Nacht. Sie ist durch Siebenbürgen geschaukelt und in den Masuren von Mücken zerstochen worden.

Mama hat immer unter jedes Foto Ort und Datum geschrieben. Dabei ist das gar nicht so wichtig, findet Nadja. Sie wird sie nie vergessen, all die Gerüche und Geräusche, manchmal nur ein Blick schwarzer Augen. Zigeuner. Vorbeigehuscht auf einem rumänischen Bahnhof. Doch in Nadjas Erinnerung für immer eingebrannt. Rattatam haben die Schienen dazu gesungen. Oder das Fahrrad hat leise gequietscht, wenn Nadja vorn auf dem Kindersitz zwischen den Armen ihres Vaters eingeschlafen ist. Sanft durch die Nacht geschaukelt. Und wenn sie aufwachte, sah sie sein Lächeln.

Nadja starrt in die Dunkelheit. Die Schienen singen nicht mehr. Und für den Kindersitz ist sie schon lange zu groß. Es ist still in der Wohnung geworden. Die Hitze auf ihrem Hochbett ist erdrückend. Sie bekommt kaum Luft, auch als sie das obere Fenster öffnet. Gähnend klettert sie die Leiter hinunter.

Im Wohnzimmer steht nur noch die leere Weinflasche auf den Dielen. Von ihrem Vater und dem Sonnenmaler keine Spur. Sie schaut zur Kneipe gegenüber. Da zeigt ein Zauberer seine Kunststücke. Alles verschwindet. Schlechte Zeiten für Russenlieder.

Sie ist nicht mehr wütend, dass sie nun doch nicht ans Meer fahren. Auch nicht mehr traurig. Es ist still in ihr, ganz still. Ist es die Stille der Wohnung, die in sie hineingeschwappt ist? Hört sich für ihren Vater die Welt nun so an? Totenstill? Vielleicht hat er ja eine Krankheit und sie bekommt sie jetzt auch? Oder macht ihn die Wohnung krank, weil nun alle Fotos fort sind? Sie hält es ja selbst kaum noch aus in den leeren Räumen. Hätte sie bloß nicht gemalert!

Aber vielleicht kann sie es wiedergutmachen. Sie tastet sich im dunklen Flur an der Wand entlang. Da! Er hängt noch an seiner alten Stelle. Der Fotoapparat ihres

Vaters. Nadja nimmt ihn vorsichtig vom Haken und verlässt damit die Wohnung. Bestimmt kann sie es wiedergutmachen. Bestimmt.

20

Die Linden rascheln leise im warmen Nachtwind, als
Nadja auf die Straße tritt. Von der Kneipe dringt nur
ein schwaches Stimmengemurmel herüber. Selbst zum
Feiern scheint es heute zu heiß zu sein.

Nadja geht zum Spielplatz und setzt sich auf eine
Schaukel. Den Fotoapparat hat sie sich um den Hals
gehängt. Sie betrachtet den leeren Platz. Im Dunkeln
sieht das Klettergerüst wie ein Ungeheuer aus. Hunderte Male ist sie darauf herumgeklettert. Jetzt hängt
ein Schild daran. Nadja kann es im Finstern nicht lesen.
Aber vielleicht das Blitzlicht? Sie springt von der Schaukel und macht ein Foto. Dann geht sie auf die Straße
zurück.

Das Blitzlicht hat sie auf eine Idee gebracht. Um diese
Zeit sind kaum noch Leute unterwegs. Die meisten
schlafen längst. Aber wegen der Hitze stehen viele Fenster zur Straße hin offen. Zuerst ist ihr etwas unheimlich
zumute, als sie sich an einem kleinen Sims zum Hoch-

parterre eines Hauses hinaufzieht. Sie reißt sich an den Knien ihre Jeans auf. Doch schließlich kauert sie auf der Fensterbank und starrt in ein fremdes dunkles Zimmer. Sie kann kaum den Auslöser drücken, so sehr zittern ihre Hände. Erschöpft lässt sie sich wieder hinabrutschen.

Beim zweiten Foto geht es schon leichter. Es gibt ja auch Parterre-Wohnungen. Und bei den Kellerwohnungen in den Seitenflügeln muss sie sich nur auf den Bauch legen.

Für Zehntelsekunden reißt das Blitzlicht die Bilder aus der Dunkelheit. Schlafende Menschen, Hunde, Vögel. Sie weiß nicht, warum sie das tut. Manchmal erwacht jemand vom grellen Blitz, schimpft oder schreit erschrocken auf. Hunde bellen ihr wütend nach. Doch jedes Mal schafft sie es, rechtzeitig davonzulaufen.

Als der Film voll ist, lehnt sie müde an einer Straßenlaterne. Von der Kletterei hat sie sich mächtig die Unterarme aufgeschrammt. Und doch kommt eine stille Freude in ihr auf, als sie noch zwei leere Filmrollen in der Fototasche entdeckt. Vom Klettern hat sie nun aber genug.

Sie läuft die Straße entlang. Auf den Gehwegen türmen sich alte Sofas und Schränke, Waschmaschinen und verrostete Fahrräder neben altem Werkzeug, Gardinenstangen und ausgedienten Teddybären. Die Nacht wiegt alles in einen sanften Dornröschenschlaf. Vielleicht schläft ihr Vater ja auch und träumt nur einen bösen Traum. Morgen wird er erwachen und alles ist wie früher.

Doch dann sieht Nadja die Bücher. Vor einer Bibliothek stehen sie gleich kistenweise aufgetürmt, weil sie nicht mehr in den Müllcontainer gepasst haben. Nadja bleibt erschrocken stehen. Bücher oder Fotos. Macht das einen Unterschied?

Sie presst den Fotoapparat gegen ihren Bauch, bis die Scham wie eine heiße Welle durch ihren Körper schwappt. Ist es das?, denkt sie. Schämt sich ihr Vater und kann er deshalb nicht mehr fotografieren? Aber warum sollte er sich schämen?

Bei Nadja ist das klar. Sie hat seine Fotos angezündet. Doch was hat er Schlimmes getan? Sie schaut auf seine alte Kamera. Er hat fotografiert, was er gesehen hat – wie die Menschen in der DDR gelebt haben. Aber warum wollen die heute seine Fotos nicht mehr sehen? Schämen sie sich auch? Vor ihrem eigenen Leben?

Nadja versteht nicht, weshalb niemand mehr etwas mit seinem früheren Leben zu tun haben will. Alle sind plötzlich mit ganz wichtigen Dingen beschäftigt. Entweder mit Wegwerfen oder Wegziehen. Wie ihre Mutter. Und manche können gar nicht weit genug von hier wegkommen. Nadja seufzt. Es wird langsam hell. Müde geht sie heim. Der Fotoapparat hängt jetzt schwer an ihrem Hals.

21

Es ist Sonntagmorgen. Aus einem offenen Tor zieht frischer Brötchenduft auf die Straße. Nadja schaut sich verwundert um und folgt dem himmlischen Duft. Mitten in einem efeuüberwucherten Hinterhof steht ein gedeckter Frühstückstisch. Auf der weißen Leinendecke, die bis zum Boden reicht, wartet ein Blümchengeschirr mit knusprig frischen Brötchen, Butter und Marmelade. Es ist aber niemand zu sehen. Nadja schluckt und betritt zögernd den Hof.

Als sie nach einem der Brötchen greift, kommt ein alter Herr mit einer dickbauchigen Kaffeekanne aus dem Haus. Erschrocken lässt sie das Brötchen fallen.

„Nanu", fragt er verwundert, „habe ich Besuch?" Er stellt die schwere Kaffeekanne ab und mustert Nadja.

„Kannst du auch sprechen?"

Eingeschüchtert schaut Nadja auf den Boden.

„Also, was ist?" Er wird langsam ungeduldig. „Willst du mitessen?"

Nadja nickt. Da verschwindet er noch einmal und kommt mit einem zweiten Gedeck und einem Hocker wieder.

Nadja setzt sich und legt den Fotoapparat neben ihren Teller. Der Mann gießt ihr dampfenden Kaffee ein. Sie wagt nicht zu protestieren, dass sie dieses bittere Zeug eigentlich nicht trinkt, denn die Brötchen schmecken himmlisch.

Beim Kauen betrachtet sie die Hinterhofwände. Der Putz ist schon an vielen Stellen abgebröckelt. Über die Wände rankt dick der Efeu und jemand hat *Kapitalisten raus!* an eine Tür geschrieben.

„Macht es Spaß, unsere heruntergekommenen Häuser zu fotografieren?", fragt der Mann plötzlich.

Nadja weiß nicht, was sie sagen soll. Der Alte ist ihr unheimlich. Er trägt einen schwarzen Anzug wie bei einer Beerdigung und ein weißes Hemd mit Schlips.

„Ist denn jemand bei Ihnen gestorben?", fragt Nadja leise.

Der Mann guckt sie für einen Moment irritiert an. Dann lacht er so laut, dass es zwischen den hohen Wänden hallt. „Komm mal mit", sagt er zu ihr.

Nadja folgt ihm zögernd auf die Straße, wo er eine Tür zu einer Ladenwohnung aufschließt. Sie wartet draußen, als er in den dunklen Tiefen der Wohnung verschwindet.

„Mädel, wo bleibst du denn?", ruft er. „Ich zeig dir den Toten!"

Nadja starrt unsicher in das Dämmerlicht der Wohnung. Sie will schon fortlaufen, als rasselnd die Jalousien hochgezogen werden. In dem Laden wird es langsam hell. Und dann lacht sie erleichtert. Sie steht in einem Fotogeschäft.

„Ich weiß nicht, was hier so lächerlich ist", schimpft der Mann. „Ich bin pleite."

Nadja verstummt erschrocken.

„Ist eben kein Platz mehr heutzutage für so 'nen kleinen Kiezladen." Der Mann zuckt resigniert mit den Schultern. „Nimm dir mit, was du willst. Kommt sowieso alles auf den Schrott."

Nadja hat eine Idee. „Können Sie noch entwickeln?", fragt sie den alten Mann.

Der schaut sie einen Moment beleidigt an. „Also, das mach ich dir noch mit vierzig Fieber und besoffen, Mädel."

Er winkt Nadja in einen der hinteren Räume. Nadja stolpert über staubige Kisten und Flaschen mit Entwickler und Fixierer. In der vollgekramten Dunkelkammer fühlt sie sich wie zu Hause. Sie legt ihre drei Filme auf den Tisch.

Der Mann drückt Nadja auf einen alten Gartenstuhl. „Na, da wollen wir mal schauen, was die junge Dame gesehen hat."

Er löscht das Licht. Nadja sitzt still auf ihrem Stuhl.

„Angst?", fragt der Alte, während er im Dunkeln hantiert.

„Nee." Nadja hat schon Hunderte von Stunden mit ihrem Vater in der Dunkelkammer verbracht. Jede Handbewegung des Alten ahnt sie voraus. Erst als die Fotos langsam im Entwicklerbad aufschimmern, steht sie auf und betrachtet sie neugierig.

„Gute Arbeit", sagt er anerkennend und begutachtet aufmerksam all die schlafenden Leute. „Wie bist du auf die Idee gekommen?"

„Weiß nicht", murmelt Nadja.

„Wenn du willst, vergrößere ich sie dir auch. So klein wirken sie überhaupt nicht."

Und ohne ihre Antwort abzuwarten, macht er sich wieder ans Werk. Nadja hat langsam Mühe, die Augen offen zu halten, und schläft in dem warmen Rotlicht fast ein. Doch der Alte wird immer gesprächiger. „Eine Touristin scheinst du jedenfalls nicht zu sein. Bist du von hier?"

Nadja nickt.

„Hast du auch einen Namen?"

„Nadja Thamm."

Der alte Mann zieht die Augenbrauen hoch. „Bist du etwa mit dem alten Thamm verwandt?"

„Er ist mein Vater."

Der Mann schnalzt mit der Zunge. „Da bist du ja in den besten Händen. Ich hab schon überlegt, was man mit so einem jungen Talent anfängt."

Nadja gähnt.

„Früher hat er manchmal bei mir entwickeln lassen,

wenn er es allein nicht mehr schaffte. Mensch, hatte der Aufträge! Verlage, Ausstellungen, Film! Davon konnte unsereins nur träumen!"

Nadja unterbricht seine Schwärmerei abrupt. „Früher! Immer nur früher! Sie sind wie mein Vater!"

Der alte Mann schaut sie traurig an. Fahrig sammelt er die getrockneten Fotos zusammen und drückt sie Nadja in die Hand.

„Also doch Touristin", sagt er zum Abschied.

22

Als Nadja nach Hause kommt, ist es fast Mittag. Von ihrem Vater keine Spur. Sie sucht einen Hammer und kleine Nägel und nagelt ihre Galerie der Schlafenden an die Wohnzimmerwände. Dann legt sie sich aufs Sofa und betrachtet ihr Werk.

Manche Gesichter sehen erschöpft aus, einige lächeln. Es gibt Bauchschläfer, Rückenschläfer, Offene-Augen-Schläfer. Eine alte Frau verbringt die Nacht sitzend in ihrem Sessel und ein tätowierter Mann schmiegt sich an seinen struppigen Hund. Eine stille Gemeinde, die sie da eingefangen hat. Noch ahnungslos vom nächsten Tag.

Ein dumpfer Knall lässt sie hochfahren. Die Fensterflügel schlagen laut zusammen. Draußen scheint ein Gewitter heraufzuziehen. Der Wind schüttelt die Linden auf dem Gehweg.

Rasch schließt Nadja die Fenster.

Auf einmal poltert es im Flur. Ihr Vater liegt auf den

Dielen und hält sich heulend den Kopf. „Nadja, oh Nadjenka", lallt er. „Meine Einzige."

Nadja schließt schnell die Wohnungstür. Dann rennt sie in die Küche und holt ein nasses Handtuch. Vorsichtig wickelt sie es ihrem Vater um den Kopf. Der jammert vor sich hin. Sie versucht ihn hochzuziehen, aber er ist viel zu schwer und viel zu betrunken. Also holt sie aus dem Schlafzimmer sein Kissen und stopft es ihm unter den Kopf. Zusammengerollt wie ein Kind schläft er schwer atmend ein.

Nadja setzt sich neben ihn und betrachtet sein Gesicht. Das letzte Jahr hat zwei tiefe Kerben in seine Mundwinkel gegraben. Und all die vielen Lachfältchen, die er einmal hatte, sind in den schwarzen Augenringen ertrunken. Vielleicht hat ihr Vater Recht und man kann wirklich nichts tun. Man muss abwarten, wie der Sonnenmaler sagt. Oder einfach schlafen, bis alles vorbei ist. Irgendwann ist alles einmal vorbei. Sie rollt sich neben ihrem Vater auf dem Boden zusammen, aber sie kann nicht schlafen. Tränen fließen über ihr Gesicht.

Wie lange hat sie so gelegen? Stunden, Tage? Als es an der Tür klingelt, ist sie auf den harten Dielen völlig erstarrt. Ihr linkes Bein ist eingeschlafen und die Schultern schmerzen beim Atmen. Sie möchte liegen bleiben, doch der Klingler lässt nicht locker. Nur ihr Vater bekommt von dem Lärm nicht das Geringste mit. Nadja seufzt. Dann humpelt sie zur Wohnungstür und öffnet sie einen Spalt.

„Nadja", sagt Timm erschrocken, als er ihr verweintes Gesicht sieht. „Alles in Ordnung?"

Sie nickt und hält tapfer die Tür fest.

„Ich wollte schauen, was du machst." Timm zögert. „Wollen wir ein bisschen rausgehen?"

Nadja schüttelt den Kopf.

„Darf ich dann reinkommen?" Sanft drückt er gegen die Tür und schiebt Nadja zur Seite. „Scheiße", sagt er, als er ihren Vater auf dem Boden liegen sieht.

Nadja senkt den Blick und beißt sich auf die Lippen. Das Blut schmeckt seltsam beruhigend. Da packt Timm sie an der Hand und zieht sie aus der Wohnung. Laut wirft er die Tür zu und zerrt Nadja hinter sich die Treppe hinunter. Nadja heult. Doch Timm lässt sie erst wieder los, als sie draußen stehen.

„Hast du überhaupt schon was gegessen heute?"

„Was heißt gegessen? Getafelt!", schreit sie plötzlich. „An einer weißen Tischdecke! Und fotografiert habe ich, die ganze Nacht lang. Jetzt bin ich die große Fotografin!"

Ein Windstoß wirbelt sie herum und wirft ihr Sand in die Augen. Timm zieht sie in seine Arme. „Du spinnst, du spinnst ja."

Nadja entwindet sich ihm. Sie braucht kein Mitleid. Wütend tritt sie Timm gegen das Schienbein. Der lässt sich davon aber nicht beeindrucken. Er greift wieder ihre Hand und geht mit ihr los.

„Wo willst du denn hin?", jammert sie.

Am Himmel schieben sich schwere Wolken zusammen. Timm zerrt sie über die Straße. Ihr Handgelenk schmerzt schon.

Als sie vor seinem Haus angelangt sind, bleibt sie bockig stehen. Hätte sie bloß nicht aufgemacht! Wenn sie zurückkommt, wird sie endlich diese verdammte Klingel abstellen.

„Oh Mann, Nadja", schimpft Timm aufgebracht, „kannst du mir ein einziges Mal vertrauen? Glaubst du wirklich, wir finden das lustig, was mit deinem Vater passiert? Ich dachte, wir sind Freunde!"

Nadja schweigt betreten. Wahrscheinlich hocken jetzt alle bei Timm und haben wieder einen Plan ausgeheckt, um ihr zu helfen. Denn Baden fällt bei dem Wetter wohl aus.

Er streicht ihr noch einmal sanft über die Schulter, dann geht er kopfschüttelnd ins Haus. Nadja hat keine Kraft mehr zu widersprechen. Stufe um Stufe steigt sie ihm nach. Mit einem Mal überfällt sie die ganze Müdigkeit der letzten Nacht. Sie hat noch keine Minute richtig geschlafen.

Vor seiner Wohnung bleibt sie stehen, doch Timm macht keine Anstalten aufzuschließen. Er steigt weiter die Treppe hinauf. Timms Haus ist wie ihres unsaniert. Die Türen zum Himmel stehen noch alle offen.

Aus dem Halbdunkel des Dachbodens schlägt Nadja stickige Hitze entgegen. Der Gestank von gekochter Taubenkacke hängt in der Luft. Sie hält den Atem an.

Timm ist schon auf der Leiter zum Dach. Nadja folgt ihm rasch.

Oben empfängt sie ein harter Wind. Die Sonne hat sich hinter schwarzblauen Wolken verkrochen, obwohl es noch immer unerträglich heiß ist. Der Wind peitscht ihr die Haare in die Augen. Unwillig streift Nadja sie aus dem Gesicht. Was sie dann erblickt, macht sie einen Moment sprachlos.

„Du bist ja verrückt", sagt sie schließlich.

Mitten auf dem Dach zwischen Schornsteinen und Fernsehantennen vertäut steht ein Segelboot. Ein kleines Segelboot mit einem schneeweißen Segel.

Timm lacht. „Na, wenn wir schon nicht ans Meer fahren ..." Er macht eine einladende Geste.

Nadja zeigt zum Himmel, wo sich immer mehr Gewitterwolken zusammenballen.

Timm beruhigt sie. „Ist nur ein bisschen Wind!"

„Wie hast du das denn hier raufbekommen?", ruft sie gegen das knatternde Segel und setzt sich neben ihn auf die kleine Holzbank.

Statt zu antworten, greift er nach der Leine. Ein Windstoß fährt in das Segel. Das Boot wackelt und Nadja bekommt Angst.

Doch Timm lacht. „Wer sagt's denn! Wir segeln!" Er packt die Leine kürzer, um den nächsten Windstoß besser abzufangen. Das kleine Boot neigt sich zur Seite. Hoch über ihnen kreischen Möwen. Das Boot schlägt mit dem Segel, als wollte es mitfliegen.

Nadja schließt erschöpft die Augen und gibt sich den schlingernden Bewegungen des Bootes hin. Timm hält sie in seinem Arm, damit sie nicht von Bord fällt. Wellen schäumen bis zu ihren Ohren hoch. Sie leckt sich das Salz von den Lippen.

Es ist fast dunkel geworden. Der Wind hat alles Licht vom Himmel gefegt. Die ersten Blitze zucken. Nadja erschrickt. Regentropfen klatschen ihr ins Gesicht. Wie gebannt schaut sie in den tobenden Himmel. Timm zieht rasch das Segel ein und drückt sie von der Bank auf den Bootsboden. Dann breitet er das Segel wie ein Dach über ihnen aus. Nadja zittert. Der ganze Himmel scheint sich auf einmal über sie zu ergießen. Zuerst prasselt er nur hell auf die trockene Dachpappe, doch dann klebt er das schwere Segel wie eine zweite Haut an Nadjas Körper. Sie umschlingt ihre Knie mit den Armen und wiegt sich hin und her. Und mit jeder Bewegung rieselt angenehme Kühle in sie hinein.

Timm hat ihre Fußgelenke umfasst. Wenn es nach Nadja geht, könnte es die ganze Nacht weiterregnen. Doch das Sommergewitter ist rasch vorüber. Auch Timm scheint enttäuscht. Mit einem Ruck rollt er das Segel zurück. Dabei ergießt sich über Nadja eine große Pfütze. Kreischend springt sie aus dem Boot und hüpft singend über das nasse Dach.

„Guck mal", sagt Timm und stößt Nadja an. Ein paar Dächer weiter steht eine alte Frau neben einem Schornstein. „Was macht die denn da?"

Nadja geht langsam auf die Frau zu. Die scheint die beiden Segler noch nicht bemerkt zu haben. „Frau Manke?", sagt Nadja leise, als sie dicht vor ihr steht.

„Endlich ist wieder Luft in der Stadt!" Die alte Frau atmet tief durch.

„Soll ich Ihnen wieder hinunterhelfen?", fragt Nadja ein wenig besorgt.

„Wieso runter? Ich mache meinen Abendspaziergang!" Und ohne Nadja weiter zu beachten, läuft sie langsam aufs nächste Dach. Sie hat nur Augen für die Möwen, die jetzt kreischend über ihr fliegen und sich auf die hochgeworfenen Brotstückchen stürzen.

Nadja klatscht in die Hände, doch der Schwarm lässt sich nicht stören. Sie dreht sich nach Timm um. Der setzt schon wieder das Segel. Doch für heute hat Nadja genug. Sie möchte nur noch in ihr Bett.

23

Sie kommen wie zwei Heinzelmännchen mitten in der Nacht. Jeder trägt ein Hütchen aus Zeitungspapier auf dem Kopf und einen Eimer Farbe in der Hand, als Nadja ihnen die Tür öffnet.

„Jetzt spinnt ihr wohl total!", flüstert sie. „Wisst ihr überhaupt, wie spät es ist?"

Im Flur liegt noch immer ihr Vater und schläft seinen Rausch aus. Ohne sich weiter um Nadjas Protest zu scheren, huschen Timm und Pascal in die Wohnung. Timm packt Nadjas Vater unter den Armen, Pascal an den Beinen und sie tragen ihn in sein Bett.

„Erst mal Platz schaffen", sagt Pascal grinsend.

„Ihr gebt wohl nie auf, was?"

Pascal zieht aus seiner Hosentasche einen Pinsel. „Sag uns einfach, wo wir anfangen sollen. Und dann legst du dich wieder in die Heia."

Nadja ist viel zu müde, um richtig wütend zu werden. Und sie möchte auch nichts mehr mit Pinseln und Farbe zu tun haben. Denn egal, was sie auch tut, ihr Vater wird nie wieder so wie früher.

„Also, wir fangen hier in der Küche an", entscheidet Timm.

Nadja zuckt mit den Schultern. „Tut, was ihr nicht lassen könnt."

Dann verschwindet sie wieder in ihr Bett. Reglos liegt sie da und lauscht. Kein einziges Geräusch ist zu hören. Die Jungs sind wirklich wie die Heinzelmännchen. Nach zwei Stunden Liegen und Lauschen schleicht sie neugierig in die Küche.

„Guten Morgen, Nadja!", begrüßt Biggi sie.

Das werden ja immer mehr hier, denkt sie und schließt leise die Küchentür hinter sich. Die großen Möbelstücke sind mit Folien eingewickelt, der Rest steht draußen im Flur. Timm balanciert auf der Leiter und Pascal hockt mit einem Eimer Farbe auf dem Küchenschrank und streicht von dort aus die Decke mit sonnengelber Farbe.

Nadja nimmt sich auch einen Pinsel und tunkt ihn in Biggis Eimer. Dann streichen sie zu viert weiter.

„Dein Vater wird Augen machen", flüstert Biggi. „Wir könnten noch Blümchen draufmalen."

„Kommt gar nicht infrage", zischt Nadja gereizt. „Das soll doch keine Hippiebude werden!"

Biggi streicht stumm weiter. Nadja hat plötzlich ein schlechtes Gewissen. Sechs Jahre lang haben sie jeden Tag zusammen auf einer Schulbank gesessen. Und sie haben sich immer alles erzählt. Aber auf einmal ist alles anders. Als ob ihre Freunde in einer anderen Welt lebten und Nadja ihren Umzug nicht mitbekommen hätte. Sie weiß auch nicht, wie das passieren konnte. Trotzdem wollen ihre Freunde ihr helfen. Und was macht sie?

„Wo habt ihr das Zeug überhaupt her?", fragt sie leise und zeigt auf die Farbeimer.

„Wenn du wüsstest, Nadja", schwärmt Pascal. „Was glaubst du, was es heute alles umsonst gibt!"

„Wir haben eine alte Farbenfabrik entdeckt", erklärt Biggi. „Gleich hinterm Bahndamm. Da ist alles zugenagelt, weil die Bude angeblich pleite ist. Aber was es da noch für Farben gibt!"

Nadja muss an den Sonnenmaler denken. Da kann er bis zum Sankt-Nimmerleins-Tag die Stadt voller Sonnen malen.

„Komm doch endlich mal mit. Wo wir schon überall waren …"

Nadja ist das egal. Sie hat eh kein Geld.

Timm scheint ihre Gedanken zu erraten. „Und es kostet alles absolut nichts! Du musst es nur nehmen."

„Sagt da keiner was?", fragt Nadja ungläubig.

Timm lacht. „Wer denn? Ist ja keiner mehr da. Jetzt rennen doch alle in den Westen."

„Gibt es auch irgendwo Turnschuhe umsonst?", fragt sie.

„Du willst doch wohl keine alten Osttreter haben?" Pascal lacht laut von der Decke herunter.

„Verdammte Scheiße!", ertönt plötzlich ein Fluch aus dem dunklen Flur, dann ein großes Gepolter. Nadjas Vater ist auf dem Weg zum Klo gegen einen vollen Farbeimer gelaufen und hat im Fallen die Küchenstühle umgerissen. Noch immer fluchend kommt er in die Küche. Sichtlich verkatert starrt er Nadjas Freunde an und dann die gelb leuchtende Küche.

„Was soll denn das hier?"

Aber niemand antwortet ihm. Nadja hält die Luft an. Vielleicht geht ja alles gut. Sie wagt nicht, ihren Vater anzusehen.

„Raus!", brüllt er plötzlich. „Was fällt euch ein! Das hier ist immer noch meine Wohnung! Meine! Und jetzt raus hier! Alle!"

Nadjas Freunde verschwinden erschrocken. Nadja starrt ihren Vater wütend an. „Alle hab ich gesagt!", schimpft er.

Nadja knallt ihm ihren Pinsel vor die Füße. „Dann bleib doch hier in deiner Wohnung! Du bist doch bloß zu feige rauszugehen! Und deshalb verkriechst du dich hier!"

Sie rennt ihren Freunden nach. In ihrer Wut fällt sie fast die Treppe hinunter und prallt unten im Hauseingang gegen die Postfrau, die ihr einen Brief unter die Nase hält. „Ich hab ein Einschreiben!"

Nadja starrt die Frau verständnislos an. Dann reißt sie ihr den Brief aus der Hand und taumelt aus der Haustür.

„Aber unterschreiben musst du noch!", ruft die Postfrau ihr nach.

Doch Nadja will nur fort. Weg aus dem Haus. Auf dem Gehweg stehen ihre Freunde und schauen sie betreten an. Und sie kann zu ihrer Entschuldigung nicht mal sagen, dass ihr Vater betrunken gewesen wäre.

„Was guckt ihr denn so!", schreit sie. „Gelb ist eben eine blöde Farbe!"

Dann rennt sie zu ihrem Fahrrad und fährt davon, ohne sich noch einmal umzudrehen. Nee, heulen wird sie nicht. Nie mehr!

24

Seit zwei Stunden sitzt Nadja im Ostbahnhof auf einer Bank und sieht den abfahrenden Zügen nach. Sie müsste einfach nur aufstehen, an den Schalter gehen und sich eine Fahrkarte nach Hamburg kaufen. Die dreihundert Mark braucht sie ja nun nicht mehr für die Miete. Ihre Mutter wohnt in einer Dachgeschosswohnung mit Blick auf die Elbe. Es gibt dort ein riesiges Bad mit einer Wanne. Mit richtig heißem Wasser könnte Nadja baden. Und ihr eigenes Zimmer erst! Es ist noch völlig leer, denn sie darf sich ihre neuen Möbel selbst aussuchen. Einfach nur in den nächsten Zug steigen müsste sie. Und in ein paar Stunden wäre das alles auch ihr Zuhause.

Mama würde sich wahnsinnig freuen. Zuerst würde sie mit Nadja einkaufen gehen, ihr neue Turnschuhe besorgen. Nein, zuallererst müsste Nadja erzählen, was passiert ist. Warum sie ohne einen einzigen Koffer kommt und nicht angerufen hat. Und wie es Papa geht.

Dann erst würde sie mit Nadja losziehen. Sie würden auch Timm mal einladen. Und zu ihrem Papa zu Besuch fahren. Wenn Nadja will.

Sie muss nur aufstehen. Einfach nur aufstehen von dieser verdammten Bahnhofsbank! Ein paarmal ist schon einer von der Bahnpolizei an ihrer Bank vorbeigeschlendert. Er hat sie angestarrt. Barfuß und mit ihren vollgekleksten Malerklamotten gibt sie bestimmt ein seltsames Bild ab. Beim nächsten Mal wird er sie garantiert ansprechen. Aber sie schafft es nicht zum Fahrkartenschalter. Und wenn sie sich Hamburg noch tausendmal schöner malt. Irgendetwas hält sie fest hier. Feigling, hat sie ihren Vater geschimpft. Aber ist sie nicht auch feige, wenn sie jetzt einfach abhaut?

Als von Weitem zwei Polizisten auftauchen, flieht Nadja vom Bahnsteig. Sie rennt die Treppe hinunter, vorbei an den Fahrkartenschaltern und Imbissbuden, über den Bahnhofsvorplatz und zwischen den parkenden Autos hindurch.

Erst drei Straßen weiter merkt sie, dass sie ihr Fahrrad vergessen hat. Doch sie kann nicht mehr zurück. Die ständig abfahrenden Züge haben ihr einen Schreck eingejagt. Es klingt so endgültig, wenn Zugtüren laut zuschlagen. Bye-bye, Berlin. Sie hätte nie mehr wiederkommen können, wäre sie jetzt gefahren.

Plötzlich kracht ihr jemand von hinten in die Hacken. Vor Schmerz schreit sie laut auf. Ein kleiner Junge liegt mit seinem Roller auf dem Gehweg und heult. Nadja versucht ihm aufzuhelfen. Da schleift er mit verächtlichem Blick seinen Roller ein Stück zur Seite und macht sich dann schnell davon. Bevor er um die nächste Ecke biegt, brüllt er: „Blöde Ziege, kannste nich kieken!" Nadja geht jetzt auf der Bordsteinkante entlang. Und da sieht sie sie. Zuerst winzig klein, kaum zu erkennen. Sie sind wie eine geheime Botschaft in die Ritzen der Steine gemalt. Nadja folgt ihnen. Die Spur der Sonnen zieht sie in die Innenstadt, vorbei an riesigen Baustellen, über provisorische Bretterwege und an Kabelschächten entlang. Sonnen. Überall. Lange dünne in schmale Spalten gepresst, kleine dicke, die wie behäbige Insekten auf leeren Zementtüten hocken oder auf verwelkten Kinoplakaten im Wind flattern. Manche kitzeln unter ihren nackten Fußsohlen, andere sind kaum zu spüren.

Auf einmal weicht der Stadtbeton einer Sandwüste. Ohne zu wissen, wie sie da hingekommen ist, steht Nadja auf dem ehemaligen Grenzstreifen. Nur noch ein verlassener Bewachungsturm kündet von der früheren deutsch-deutschen Grenze. Und auch der wird bald verschwinden, denn ein Stück entfernt wartet schon eine Armada von Bulldozern. Ein leiser Wind weht den Sand vor ihnen auf, der einst unter der Mauer begraben lag.

Nadja friert auf einmal. Zwischen den Häusern wachsen die ersten Nachmittagsschatten. Sie geht auf die Straße zurück. Die meisten Häuser hier stehen leer. Früher waren die großen Altbauwohnungen in der Nähe der Friedrichstraße sehr begehrt. Jetzt ziehen die Leute fort, weil ihnen die Wohnungen nach der Modernisierung zu teuer werden.

Mitten auf der Straße steht ein hoher Baukran. Es riecht nach frischem Beton. Aber nirgendwo ist mehr ein Bauarbeiter zu sehen. Nadja schaut sich kurz um, dann huscht sie durch die Absperrung und klettert an der Kranleiter hinauf. Ein paar Leute gehen unten vorbei. Doch sie bemerken Nadja nicht.

Langsam klettert sie weiter. Das Haus ist sehr alt. Nadja kann in die verlassenen Wohnungen sehen. Tapeten mit großen Blumenmustern gilben vor sich hin, von den Decken bröckelt der Stuck. Im fünften Stock muss ein Büchernarr gelebt haben. Schatten von Hunderten von Büchern schimmern an den Wänden. Wo sind die Leute bloß alle geblieben?

Auf dem Dach empfängt sie ein warmer Wind. Die alten Ziegel sind schon entfernt worden. Wie ein Gerippe hockt der Dachstuhl nun auf dem Haus und der Wind pfeift mühelos hindurch. Nadja klammert sich an das kühle Eisen der Kranleiter. Sie klettert noch höher. Und plötzlich ist sie in Sonnenlicht gebadet. Von hier oben kann sie fast die ganze Stadt sehen.

Hinter der Spree steht ein riesiges Gebäude. Der Reichstag. Jemand hat ihn in eine schillernde Plastetüte eingepackt und am Bauch zusammengeschnürt. Die Sonne lässt sie wie eine Silberhaut im Abendlicht schimmern. Das Ganze sieht ziemlich lustig aus, auch wenn

Nadja keine Ahnung hat, was die sich dabei gedacht haben. Ist ihr auch egal. Das müsste ihr Vater sehen, schießt es ihr durch den Kopf. Dann würde er vielleicht mal wieder lachen.

Nadja presst ihren Bauch gegen die Eisenleiter, um ihr Gewicht ein wenig zu verlagern. Langsam drücken die Leitersprossen schmerzhaft in ihre nackten Fußsohlen. Da spürt sie den zusammengeknüllten Brief in der Hosentasche.

Vorsichtig zieht sie ihn heraus. Er ist vom Jugendamt. Wenn diese blöde Tante bloß nie aufgekreuzt wäre! Die hat alles nur noch schlimmer gemacht. Nadja zerreißt den Brief in kleine Stücke, die der Wind rasch davonträgt. Dann steigt sie langsam vom Kran.

25

Sie hat keine Ahnung, wo sie heute Nacht bleiben soll.
Vor dem Bauwagen des Sonnenmalers flackert ein kleines Feuer, aber der Maler ist nicht zu Hause. Nadja
hockt sich auf die Treppe. Als das Feuer zusammen-
sinkt, sammelt sie ein paar Holzstücke und legt sie in
die Glut. Dann stochert sie lustlos mit einem Stock darin herum.

„Hallo!", ruft plötzlich jemand hinter ihr.

Nadja zuckt zusammen.

Der Sonnenmaler winkt mit einer Flasche Rotwein.
„Bewachst du unser Abendessen?"

Er nimmt ihr den langen Stock aus der Hand und
kullert ein paar schwarze Kartoffeln aus der Glut. Nadja
hat aber keinen Hunger.

„Kann ich heute Nacht vielleicht hierbleiben?", fragt
sie leise.

„Was ist denn passiert?"

„Er hat mich rausgeworfen."

Der Sonnenmaler nimmt einen Schluck aus seiner Rotweinflasche. „So ein Idiot."

„Ist er nicht", sagt Nadja.

Aber irgendwie fängt sie selbst schon an zu glauben, dass ihr Vater ein Idiot ist. Nichts bekommt er mehr auf die Reihe. Gar nichts. Und eines schönen Tages wird auch er in einem Bauwagen hausen.

Der Sonnenmaler scheint ihre Gedanken lesen zu können. „Schämst du dich für ihn?"

Nadja schüttelt heftig den Kopf.

Der Maler seufzt. „Er will nicht mehr dazugehören. Aber was heißt das schon, nicht zu den anderen zu gehören. Du denkst, er lässt dich im Stich. Aber vielleicht sind ja auch die anderen weggegangen und nur er ist dageblieben? Hast du darüber schon mal nachgedacht?"

Nadja will nicht mehr nachdenken. Sie rollt zwei heiße Kartoffeln zwischen ihren Füßen hin und her. Weggehen oder Dableiben. Berlin oder Hamburg. Das macht auf einmal keinen Unterschied mehr. Die Idiotin ist sie selbst! Denn sie hat die ganze Zeit geglaubt, es würde ihrem Vater etwas bedeuten, dass sie bei ihm bleibt!

„Sie sind verbrannt", sagt Nadja.

„Na, ein Vier-Sterne-Hotel hab ich nicht", entgegnet der Sonnenmaler etwas beleidigt.

„Ich meine nicht die Kartoffeln. Seine Fotos sind verbrannt. Ich habe sie alle angezündet auf dem Hof."

Nadja schaut den Maler an. Er sagt kein Wort. Wie ihr Vater. Zumindest von ihm hätte sie etwas anderes erwartet. Bedauern oder Wut. Irgendeine Reaktion. Nur nicht diese Gleichgültigkeit. Wo er doch so geschwärmt hat von dem riesigen Schatz!

Stattdessen sagt er: „Komm mal mit. Ich will dir was zeigen."

Er nimmt sie an die Hand. Schweigend gehen sie durch die Straßen. Nadja übersieht die seltsamen Blicke, die ihnen Passanten zuwerfen. Mit der warmen Hand, die sie festhält, würde sie bis ans Ende der Welt laufen. Endlich muss sie sich einmal nicht mehr ausdenken, wo es langgeht. Der Sonnenmaler hat einfach die Führung übernommen.

Sie laufen in Richtung Norden. Straße um Straße. Bald haben sie die hell erleuchteten Touristenecken hinter sich gelassen. Keine Einkaufsstraßen mehr, kein Verkehr. Auch die Mietshäuser verschwinden langsam und machen kleinen Stadtvillen Platz. Die meisten sind alt und heruntergekommen.

Vor einem zweistöckigen Jugendstilhaus bleibt der Sonnenmaler stehen. Die Fenster im Erdgeschoss und die Eingangstür sind mit Brettern vernagelt. Er schaut sich kurz um, dann klettert er über den verrosteten Eisenzaun und verschwindet mit einem Sprung im dichten Gebüsch.

Nadja steht allein auf der Straße. Die warme Hand ist fort. Unschlüssig schaut sie sich um. Kein Mensch weit und breit. Und in keinem der umliegenden Häuser brennt Licht.

Da hört sie aus dem Dunkeln leise ihren Namen. „Wo bleibst du denn?"

Nadja versucht, sich ebenfalls an dem alten Eisenzaun hochzuziehen, doch dabei brechen die rostigen Zaunspitzen ab. Ein brennender Schmerz zuckt durch ihre Handflächen. Wütend tritt sie gegen den Zaun.

Auf einmal ist der Sonnenmaler wieder bei ihr. „Ich bin vielleicht ein Dummkopf", sagt er. „Die Tür steht doch offen."

Gemeinsam betreten sie einen verwilderten Garten. Der Maler geht dicht neben ihr. Mit sicheren Schritten umrundet er Büsche und Steinskulpturen, die wie weiße Gespenster im dunklen Garten hocken. Er scheint sich hier auszukennen, denkt Nadja. Über allem liegt ein schwerer Rosenduft, der sie ein wenig schwindelig macht.

Der Maler geht mit ihr um das Haus herum. Dort führt eine breite Steintreppe zu einer Flügeltür hinauf. Was er hier bloß will? Vorsichtig steigen sie über die brüchigen Stufen. Oben holt er einen Schlüssel hervor und schließt auf. Dann greift er wieder ihre Hand und sie treten ein.

Seltsam, denkt Nadja. Auf einmal fühlt sich seine Hand anders an. Als ob nicht mehr er sie, sondern Nadja ihn hält. Doch es ist keine Zeit, darüber nachzudenken. Denn er gleitet davon und lässt sie wieder allein im Dunkeln stehen. Von irgendwoher hallt seine Stimme durch das Haus: „Bleib, wo du bist!"

Nadja hätte sich auch so nicht von der Stelle gerührt. Sie sieht absolut nichts und die Eingangsdielen unter ihr schwanken bei jeder Bewegung. Da greift die Hand wieder nach ihr und zieht sie in ein großes leeres Zimmer. Auf dem Boden stehen brennende Kerzen.

Nadja starrt sprachlos die Wände an, die bis an die Decke voller Bilder hängen. Große Ölgemälde, Landschaftsaquarelle, Radierungen, kleine Tuschezeichnungen und dazwischen ein paar kritzelige Kinderbilder. Das flackernde Kerzenlicht überzieht die seltsame Gesellschaft mit einem schwankenden Schein. Es sieht aus, als bewegten sich all die Menschen, Häuser und Bäume.

Nadja schaut sich nach dem Maler um. Der legt einen Finger auf den Mund. Langsam geht sie zwischen den Kerzen durch das Erkerzimmer. Das Parkett knarrt leise. Sie fährt mit dem Finger über einen Rahmen. Staubflocken schweben wie kleine graue Wolken herab und verbrennen knisternd im Kerzenlicht.

Rückwärts laufend verlässt sie den Raum und pustet dabei eine Kerze nach der anderen wieder aus, bis nur noch eine einzige brennt. Dann löscht sie auch diese und tastet sich durch den Flur zum Ausgang.

Draußen lehnt der Maler an der Gartentreppe und raucht. Er verschließt das Haus wieder und steckt den Schlüssel ein.

Eine Weile gehen sie stumm nebeneinanderher.

„Haben sie dir gefallen?", fragt er schließlich.

„Warum haben Sie denn Ihre Bilder dagelassen?", will Nadja wissen.

„Manchmal kann man eben nichts mitnehmen." Nadja mustert den Maler im Licht der Straßenlaternen. Seine Hände hat er jetzt tief in den Taschen seines schwarzen Mantels vergraben. Er erinnert Nadja so sehr an ihren Vater. Dieselbe undurchdringliche Mauer, mit der er sich umgibt. Nadja hat plötzlich das ungute Gefühl, dass hinter dieser Mauer vielleicht gar nichts mehr ist. Das macht ihr Angst. Sie stolpert neben dem Maler her.

„Vielleicht hast du ihm ja einen Gefallen getan", sagt er mit einem Mal.

„Was für einen Gefallen denn?"

„Dass du seine Bilder verbrannt hast. Er hätte es selbst nicht gekonnt."

Nadja bleibt stehen und hält den Maler, der weitergehen will, am Mantel fest. „Das ist doch aber idiotisch!", schreit sie. „Ich wollte sie doch gar nicht verbrennen!"

„Hast du aber. Nur meine Bilder sind leider noch da. Und so muss ich hier immer wieder zurückkommen. Bis die neuen Hausbesitzer einziehen und alles auf den Müll werfen."

Nadja starrt den Maler wütend an. „Warum müssen Erwachsene immer so bescheuert sein!"

Sie rennt los. Doch nach wenigen Metern holt er sie ein und hält sie fest. Ihre Hand verschwindet wie in einer Eisenklammer zwischen seinen Fingern. Sie tritt den Maler mit Füßen, doch er lässt nicht los.

Als sie sich wieder etwas beruhigt hat, zieht er sie ein Stück zu sich heran. „Trotzdem will ich nicht, dass du heute auf irgendeiner Parkbank schläfst. Ich bin der Penner und nicht du."

Wortlos gehen sie weiter. Idiotisch findet Nadja das Ganze trotzdem. Was soll gut daran sein, alles zu verbrennen oder auf den Müll zu werfen?

Als sie später im Bauwagen des Malers liegt, eingewickelt in dicke Decken, muss sie an ihre Mutter denken. Jahrelang hatte sie jeden Film des Vaters nummeriert und in unzählige Kästen eingeordnet. Nichts sollte verloren gehen, wenn man noch einmal danach suchen wollte. Aber wenn der Sucher sich selbst vergessen hat, wer soll dann noch etwas finden?

26

Nadja steht schon eine halbe Stunde vor ihrer Wohnungstür. Von drinnen ist kein einziges Geräusch zu hören. Soll sie klingeln? Oder wartet sie besser so lange, bis ihr Vater hinauskommt? Langsam frieren ihre nackten Füße auf dem kühlen Steinboden.

Schließlich klopft sie ganz vorsichtig an die Tür. Die springt im selben Moment auf, als wäre sie nicht richtig geschlossen gewesen. Nadja betritt zögernd die Wohnung. Im Flur stehen noch die ausgeräumten Sachen aus der Küche. Sie steigt darüber hinweg und geht ins Wohnzimmer. Es ist niemand da. Auch nicht im Schlafzimmer. Nadja stellt sich vor die Dunkelkammer und lauscht.

„Papa?", sagt sie leise. Sie fasst nach der Klinke und drückt sie langsam hinunter. Doch auch hier ist er nicht. Sie schaut ans Schlüsselbrett. Da hängt sein Schlüssel. Dafür ist die Kamera weg.

Irgendetwas schnürt Nadja plötzlich den Hals zu.

Das kann er doch nicht machen. Einfach so weggehen. Nach alledem. Sie schaut vom Wohnzimmer aus zur Kneipe hinüber, obwohl sie weiß, dass er dort nicht ist. Aber wo ist er dann? Enttäuscht lässt sie sich aufs Ledersofa fallen und starrt an die Decke.

Die schlimmsten Sachen hat sie sich ausgemalt. Dass sie aus der Wohnung fliegen mit all ihrem Zeug oder dass sie vielleicht im Heim landet. Ihr ist aber nie der Gedanke gekommen, dass ihr Vater einfach verschwinden könnte.

Hat es nicht eben geklopft? Nadja springt auf. Vielleicht hat er seinen Schlüssel nur vergessen. Hastig klettert sie über den Küchenkrempel und reißt die Tür auf. Im nächsten Moment prallt sie zurück. Die Frau vom Jugendamt!

Sie lächelt Nadja freundlich an und drängelt sich gleich an ihr vorbei in den Flur. Neugierig mustert sie die frisch gestrichene Küche, dann geht sie ins Wohnzimmer. Nadja folgt ihr. Die Frau ist sichtlich beeindruckt von den Malerarbeiten.

„Ihr habt doch meinen Brief bekommen?"

„Ja", sagt Nadja und denkt an die Papierschnipsel, die vom Baukran geflogen sind.

„Wo ist denn dein Vater?"

Nadja kaut auf ihrer Unterlippe. Was soll sie bloß sagen?

„Er ist bei einem Vorstellungsgespräch", platzt es aus ihr heraus. „Es kam ganz kurzfristig."

Gleichzeitig denkt sie, dass der ganze Schwindel jetzt auffliegt.

Doch die Frau lächelt Nadja nur weiter freundlich an. „Das hört sich ja gut an. Richte deinem Vater doch bitte aus, er möchte mich anrufen, wenn er zurück ist."

Nadja nickt. Sprechen kann sie nicht mehr. Ihr Hals ist wie zugeschnürt. Die Frau verabschiedet sich. Im Flur steigt sie wieder über den Küchenkram, nicht ohne einen weiteren lächelnden Blick in die gelbe Küche zu werfen. Als sie Nadja die Hand gibt, fällt ihr noch etwas ein. „Was machst du denn in den Ferien?"

„Wir fahren ans Schwarze Meer!", sagt Nadja. Ist doch eigentlich gar nicht so schwer. Sie muss der Frau nur erzählen, was sie hören will.

Von der Ferienfahrt ist die so begeistert, dass sich Nadja auch noch einen Bericht über ihren letzten Rumänienurlaub anhören kann.

Als sie endlich geht, schließt Nadja betont langsam die Tür. Sie weiß nicht, ob sie lachen oder heulen soll. So ein bisschen Farbe und alles sieht gleich anders aus. Sie könnte fast selbst daran glauben, dass ihr Vater bei einem Vorstellungsgespräch ist.

Um den Flur endlich frei zu bekommen, räumt sie alles wieder ein. Den Tisch, die drei Stühle. Töpfe und Pfannen vom Küchenschrank. Die Pinsel in den Farbeimern sind inzwischen festgetrocknet. Sie stellt die Eimer vor die Wohnungstür.

Da liegt auf einmal ein Postpaket auf dem Fußabtreter. Nadja hebt es verwundert auf und trägt es in die Wohnung. Es ist an sie adressiert. Aber wer soll ihr denn ein Paket schicken? Sie legt es im Wohnzimmer auf die Dielen und kniet sich davor.

Als sie den Absender liest, verschwimmt plötzlich alles vor ihren Augen. Sie kann überhaupt nicht mehr aufhören zu heulen. Es kommt von Mama. Denn heute ist der 18. Juli. Nadja hält das Paket lange auf ihrem Schoß fest, ehe sie es öffnen kann. Obendrauf liegt eine Karte. *Alles Liebe zu deinem 14. Geburtstag! Deine Mama.*

Nadja packt langsam die einzelnen Tüten aus. Eine nagelneue Jeans, T-Shirts. Und Turnschuhe! Weiße mit dunkelblauen Streifen. Sie hat es gesehen, denkt Nadja, dass meine Turnschuhe kaputt waren und mein T-Shirt schon viel zu klein. Aber sie hat nichts gesagt. Ganz unten liegt ein neuer Badeanzug.

Nadja probiert die Jeans und das blaue T-Shirt gleich an. Dann geht sie in ihr Zimmer und betrachtet sich in dem großen Schrankspiegel. In den neuen Sachen erkennt sie sich fast selbst nicht mehr. Aber die Hose rutscht ihr von den schmalen Hüften.

Mit einer Hand hält sie die Jeans am Bauch zusammen, mit der anderen öffnet sie den Kleiderschrank und zieht einen Gürtel heraus. Er ist aus hellem Ziegenleder geflochten. Grigori hat ihn ihr geschenkt. Da war er noch viel zu lang und sie konnte Springseil mit ihm springen. Jetzt hat sie schon das letzte Loch erreicht. Aber damit sitzt die Jeans perfekt.

Sie dreht sich vor dem Spiegel, bis ihre langen Haare fliegen. Da sieht sie etwas am Fenster. Abrupt bleibt sie stehen. Die Haare klatschen ihr ins Gesicht.

Draußen hängt an einer langen Schnur ein Strauß mit roten Rosen. Verwundert geht sie ans Fenster und schaut nach oben. Die Schnur kommt vom Dach. Sie holt eine Schere und schneidet den Strauß ab. Dabei fällt ein Briefumschlag aus den Blüten. Wie bei einem Erpresserbrief sind die Buchstaben aus einer Zeitung ausgeschnitten und zusammengeklebt.

„Happy Birthday! Große Geburtstagsüberraschung! 19:00 Uhr am Märchenbrunnen."

Nadja dreht den Brief um. Kein Absender. Da versteht sie endlich. Papa ist gar nicht weggegangen, er hat die Überraschung vorbereitet! Sie holt tief Luft. Bestimmt. Er hat noch nie ihren Geburtstag vergessen.

Sie holt eine Vase für die Rosen. Es sind genau vierzehn. Sie stellt die Blumen im Wohnzimmer auf die Dielen und hüpft mit ihren neuen Turnschuhen um die Vase herum. Was er sich wohl ausgedacht hat? Vielleicht hat er ja ihre Fotos an den Wänden gesehen. Und jetzt ist er auch unterwegs, um ihr zu zeigen, dass er es noch kann. Warum sollte er sonst seinen Fotoapparat mitnehmen? Den ganzen Tag ist er schon weg.

Sie schaut auf die Uhr. Jetzt muss sie sich beeilen, wenn sie rechtzeitig am Märchenbrunnen sein will. Ihr

Fahrrad steht noch immer am Bahnhof und zu Fuß ist es ein weiter Weg bis zum Park.

Unten im Hausflur trifft sie Frau Manke. Die scheint auf sie gewartet zu haben und wünscht ihr auch alles Liebe zum Geburtstag. „Kommt doch morgen Abend zu mir zum Essen, du und dein Vater", sagt sie.

Nadja wirft ihr einen Handkuss zu. Morgen Abend! Da sind sie endlich auch die Tante vom Jugendamt los. Ihr Vater muss ihr bloß ein bisschen von seinem neuen Job erzählen und von ihrer Ferienfahrt ans Schwarze Meer. Es ist gar nicht so schwer.

Pfeifend hüpft Nadja aus dem Haus. Obwohl es für lange Jeans und Lederturnschuhe viel zu heiß ist, trägt sie sie wie eine Trophäe.

27

Nadja steht am Märchenbrunnen und schaut sich um. Stumm grüßen die steinernen Frösche und Schildkröten vom Brunnenrand. Die Kirchenglocken schlagen gerade sieben. Vielleicht verspätet sich ihr Vater etwas. Ohne ihr Fahrrad musste sie ja auch den halben Weg rennen, sonst hätte sie es nicht mehr geschafft.

Plötzlich hält ihr jemand von hinten die Augen zu.

„Im Namen der Patenbrigade *Schneller Pinsel* gratulieren wir Ihnen zu Ihrem 14. Geburtstag!"

Dann wird sie an den Schultern zum Brunnen gedreht. Hinter den Märchenfiguren tauchen brennende Wunderkerzen auf und in der Mitte schwimmt auf einem kleinen Floß aus leeren Colaflaschen ein blaues Kästchen.

Timm strahlt sie an. Pascal und Biggi kommen hinter den Figuren hervor und balancieren auf dem Brunnenrand mit ihren Wunderkerzen auf sie zu. Enttäuscht schaut Nadja sich um. Und wo ist ihr Vater?

„Du könntest dich schon ein bisschen freuen", sagt Pascal, als er vor ihr auf den Boden springt.

Nadja schluckt und starrt auf die Brunnenfiguren. Doch da kommt niemand mehr hervor. Die Blumen sind also von Timm gewesen.

„Willst du dein Geschenk nicht holen?", fragt Biggi und zeigt auf das schwimmende Kästchen.

Nadja schaut auf das Brunnenwasser und dann auf ihre neuen Turnschuhe. Jetzt bemerken auch die anderen sie.

„Schöne Schuhe", sagt Pascal bewundernd.

„Hab ich von meinem Vater", sagt Nadja schnell. Auf eine Lüge mehr kommt es nun auch nicht mehr an.

Timm hat sich inzwischen seine Sandalen ausgezogen. Der Märchenbrunnen ist aber ziemlich tief. Er muss auch noch seine abgeschnittenen Jeans hochkrempeln. Dann steigt er ins Wasser und watet zur Mitte. Triumphierend hält er das kleine Kästchen hoch und überbringt es Nadja. Die dreht es in den Händen hin und her.

„Nun mach schon auf", drängelt Biggi. „Ist von uns dreien."

Timm klettert aus dem Brunnen und lässt seine Beine auf dem Brunnenrand trocknen. Nadja setzt sich mit dem Geschenk neben ihn. Als sie die Schleife aufzieht, fällt das bunte Seidenpapier wie ein Hauch in ihren Schoß. Darin liegt ein gerahmtes Foto von ihrer letzten

Klassenfahrt. Leicht verwackelt lehnen sie alle vier im Wald an einem Wegweiser.

„Damit du uns nicht vergisst, falls du nun doch nach Hamburg ziehst", sagt Biggi und umarmt sie.

Nadja murmelt einen Dank.

„Also, Ladys", beschwert sich Pascal, „wird jetzt endlich gefeiert?"

Tolle Party, denkt Nadja. Ohne einen Pfennig Geld.

„Na, was ist?" Timm grinst. „Gehen wir! Karten für die Party hab ich schon bestellt!"

Er springt vom Brunnenrand und schlüpft rasch in seine Sandalen. Nadja denkt an die dreihundert Mark, die noch in ihrer alten Jeans stecken und jetzt auf dem Boden im Wohnzimmer liegen.

Sie laufen durch den Park, der am Freitagabend voller Menschen ist. Duftende Grillschwaden steigen zwischen den Bäumen auf. Nadja schluckt. Sie hat Hunger. Da zieht Timm sie vom Weg in ein Gebüsch. Grüne Zweige klatschen ihr ins Gesicht.

„Spinnst du!", faucht sie und stolpert zwischen dunkle Sträucher.

„Klappe!", zischt Pascal und schubst sie von hinten weiter. Nach ein paar Metern stehen sie vor einem hohen Zaun, der fast völlig unter Efeu verschwunden ist. Timm macht eine Räuberleiter und hält Nadja als Tritt seine Hände hin.

„Ich will da nicht rüber!", schimpft sie noch immer.

Pascal klopft ihr beruhigend auf die Schulter, während Biggi schon mal den Anfang macht. Mit einem lauten Krachen landet sie auf der anderen Seite. Dann hievt Timm Pascal hinüber.

„Los, Leute, beeilt euch! Wir haben noch was vor heute!", ruft er von drüben.

Nadja stellt einen Fuß in Timms Hände und umfasst seinen Hals. Sie kann seine Augen nur erahnen in dem dunklen Gebüsch. Sein Nacken fühlt sich ganz heiß an. Timm hebt sie mit einem Schwung hoch. Sein Nacken entgleitet ihr, und ehe sie sich am Zaun halten kann, fliegt sie auf die andere Seite in Pascal hinein.

Fluchend rappelt der sich wieder auf. Gerade noch rechtzeitig, ehe Timm gesprungen kommt. Nadja wagt sich nicht zu rühren. In dem Gebüsch sieht man die Hand vor Augen nicht. Ihre neuen Turnschuhe sind jetzt bestimmt hin.

„Los, weiter", zischt Pascal, „sonst erwischen die uns noch!"

Sie kämpfen sich ein paar Meter durch Sträucher und Gestrüpp. Dann gelangen sie endlich ins Freie.

Timm breitet seine zerkratzten Arme aus: „Meine Dame, darf ich bitten: eine Ehrenloge für das Geburtstagskind!"

Sie stehen im Freilichtkino hinter den obersten Reihen. Die meisten Bänke sind noch leer. Der Einlass hat gerade erst begonnen. Unten vorm Eingang wartet schon eine lange Schlange.

Nadja setzt sich auf eine der Holzbänke. Die ersten

Laternen gehen im Park an. Biggi und Pascal holen von unten etwas zu essen.

Timm setzt sich neben sie. „Freust du dich denn gar nicht?", fragt er enttäuscht.

Nadja schüttelt den Kopf.

„Er ist weg", sagt sie leise.

„Wer?"

„Mein Vater."

„Wieso soll er denn weg sein?"

„Er hat seinen Schlüssel dagelassen."

„Ach, Nadja, vielleicht hat er ihn nur vergessen!", versucht Timm sie zu beruhigen. Doch sie kann sich nicht beruhigen. Er ist weg für immer. Sie weiß es jetzt. Er kommt nicht mehr zurück.

„Was macht ihr denn für Gesichter?", beschwert sich Pascal, als er mit vier Bratwürsten ankommt und eine kleine Flasche Sekt aus seiner Jeansjacke zaubert. „Dafür stürzt man sich nun in Unkosten!"

Timm zuckt bedauernd mit den Schultern, als wollte er sich für Nadja entschuldigen.

Nadja isst hastig ihre Bratwurst. Die kleine Flasche Sekt trinkt sie fast allein aus. Und dann fängt der Film an. Aber sie kapiert überhaupt nicht, worum es geht. Die Worte perlen wie Regentropfen über die Leinwand. Jedes für sich, ohne Sinn.

Timm hält vorsichtig ihre Hand. Doch nicht einmal das bekommt Nadja mit. Sie kann nur an ihren Vater denken. Dass er so einfach weggehen konnte, versteht sie nicht. Was soll sie jetzt der Frau vom Jugendamt erzählen? Und Frau Manke, die sie zum Essen eingeladen hat? Und ihrer Mutter, wenn sie anruft?

Ihr ist auf einmal ganz schlecht. Sie schafft es gerade noch zum Klohäuschen, dann erbricht sie sich auf den weißen Fliesen. Schweiß perlt ihr von der Stirn. Trotz der lauen Sommernacht friert sie plötzlich. Als sie zur Bank zurückkommt, hängt Pascal ihr seine Jeansjacke um.

„Alles in Ordnung?", fragt er besorgt.

Nadja nickt. „War nur die Wurst." Sie zittert am ganzen Körper.

„Komm, ich bring dich heim", sagt Timm.

Er nimmt sie an die Hand und verlässt mit ihr den Park. Nadja kann vor Angst und Zähneklappern kaum laufen. Der Weg nach Hause nimmt gar kein Ende. Als sie endlich vor ihrem Haus stehen, schaut sie zu den dunklen Fenstern hoch.

„Willst du nicht lieber mit zu mir?", fragt Timm.

„Meine Eltern sind noch segeln und Robert hat Nachtdienst."

Nadja schüttelt den Kopf und geht ohne einen Abschied ins Haus. Vielleicht sitzt ihr Vater ja vor der Wohnungstür.

An der letzten Treppenkehre bleibt sie einen Moment stehen und schaut zwischen den Holzpfeilern hindurch. Doch vor ihrer Wohnung sitzt niemand.

Enttäuscht nimmt sie die letzten Stufen. Ihre Hände

zittern, als sie den Schlüssel ins Schloss steckt. Sie geht durch die dunkle Wohnung und legt sich im Wohnzimmer aufs Sofa. Irgendwann spät in der Nacht läutet das Telefon.

28

Es ist schon später Nachmittag, als Nadja wieder erwacht. Es klingelt an der Wohnungstür. Sie rührt sich nicht. Bestimmt ist das schon die Frau vom Jugendamt. So leicht wird es Nadja der aber nicht machen. Irgendwann hört die Klingelei auf. Schritte gehen durchs Treppenhaus und die schwere Eingangstür unten fällt dumpf zu.

Nadja streckt sich auf dem Sofa. Plötzlich fliegen kleine Steinchen gegen die Scheiben. Zuerst in ihrem Zimmer, dann im Wohnzimmer. Dass die Frau vom Jugendamt Steinchen wirft, kommt ihr nun doch etwas unwahrscheinlich vor. Sie schleicht zum Fenster. Unten sammelt Timm gerade neue Kiesel vom Weg.

Nadja reißt das Fenster auf. „Sag mal, hast du sie noch alle?"

„Dann öffne die Tür!"

„Lasst mich verdammt noch mal in Ruhe!"

Sie knallt das Fenster wieder zu. Der nächste Kiesel

prallt dagegen. Aus Angst, dass er noch die ganzen Scheiben zerschießt, lässt sie ihn schließlich doch herein.

„Ist er wieder aufgetaucht?", fragt Timm ohne jede Begrüßung.

Nadja schüttelt den Kopf.

„Was willst du denn jetzt machen?"

„Keine Ahnung."

„Du kannst doch aber nicht so tun, als ob alles in Ordnung wäre!"

„Hast du eine bessere Idee?", fährt Nadja ihn an.

„Nein, aber lass uns doch mal überlegen!"

Nadja hat genug überlegt. Das bringt gar nichts. Ihr Vater hat auch immer überlegt. Monatelang.

„Ich habe eine Einladung zum Essen", sagt sie auf einmal. „Kommst du mit?"

Timm schaut sie ungläubig an. „Du kannst doch jetzt nicht feiern gehen?"

„Warum nicht?" Sie lässt ihn stehen und verschwindet in ihr Zimmer. Als sie ins Wohnzimmer zurückkommt, sagt Timm nur „Wahnsinn".

„Also, kommst du mit?", fragt sie noch einmal und dreht sich vor ihm. Timm ist sprachlos. Um ihre nackten Beine schwingt ein langes weißes Leinenkleid. Er kennt Nadja nur in Jeans. Nadja kennt Nadja eigentlich auch nur in Jeans. Aber heute ist ein besonderer Tag.

„Wir sind bei Frau Manke eingeladen", sagt sie.

Timm verzieht das Gesicht. „Ich hab gedacht, wir gehen auf eine richtige Party. Die Alte wird uns wie die Weihnachtsgänse stopfen. Und ich dachte, Mädchen machen heutzutage Diät."

Nadja gibt ihm einen Stoß in die Rippen. „Hungrige Mädchen haben aber immer schlechte Laune. Also los!"

Da die neuen Turnschuhe nicht zum Kleid passen, schwebt sie barfuß wie eine Fee durchs Treppenhaus. Ihre metallenen Armreifen klirren leise an den Handgelenken. Timm stapft in seinen abgeschnittenen Jeans etwas missmutig hinterher.

Als Frau Manke ihnen öffnet, weiß sie nicht, worüber sie sich mehr wundern soll, über Nadjas traumhafte Erscheinung oder über das Fehlen ihres Vaters.

„Papa kann leider nicht", erklärt Nadja schnell. „Er arbeitet."

„Das ist aber schade." Frau Manke geht vor den beiden ins Wohnzimmer, wo es eher nach einer Hochzeit als nach einem Geburtstagsessen ausschaut. Der Tisch ist mit weißem Damast und einem kompletten Tafelservice gedeckt. Es gibt sogar bestickte Servietten.

Nadja lächelt Timm aufmunternd zu, dem bei so viel Etikette unbehaglich geworden ist. Rasch zieht er beim Hinsetzen das lange Tischtuch über seine abgeschnittenen Jeans. Frau Manke verschwindet in der Küche.

„Warum hast du nicht gesagt, dass du mit deinem Vater eingeladen bist?", zischt er Nadja zu.

Die Kerzen auf dem Tisch flackern. Nadja legt einen Finger über den Mund.

„Kann mir mal jemand helfen?", ruft Frau Manke aus der Küche.

Timm springt schnell auf und kommt mit einer riesigen heißen Suppenterrine zurück.

Frau Manke legt ein kleines Geschenk neben Nadjas Teller. „Nun esst aber erst mal, wird ja sonst alles kalt."

Timm starrt auf die unzähligen Gabeln, Messer und Löffel. Da brauchen sie ja bis Mitternacht. Mit einem Seufzen beginnt er zu essen. Frau Manke sitzt aufrecht und gerade wie ihr kleiner Spitzenkragen. Niemand spricht. Nur das Klappern der Löffel ist zu hören. Eigentlich ist Nadja schon nach der Suppe erledigt. Aber dann folgt noch ein Hasenbraten mit Rotkohl und Klößen, und zum Nachtisch gibt es Karamellpudding und Kirschkuchen mit dicken Butterstreuseln.

Nadja schrumpft mit jedem Gang mehr auf ihrem Stuhl zusammen, während Timm immer gesprächiger wird. Er findet plötzlich Gefallen an dem opulenten Mahl und lässt sich von Frau Manke den richtigen Gebrauch des Bestecks und der Gläser erklären.

„Esst nur, esst", sagt Frau Manke immer wieder, als wären sie beide am Verhungern.

Was Nadjas Vater eigentlich arbeitet, fragt sie kein einziges Mal, obwohl die Frage wie eine brennende Kerze im Raum flackert. Doch Nadja kann nicht erzählen, was Frau Manke eh schon weiß. Dass ihr Vater nicht mehr da ist. Von ihrer Seitenflügelwohnung kann sie nämlich genau in Nadjas Küche schauen, wo ihr Vater seit Jahr und Tag am offenen Fenster raucht. Aber da raucht jetzt niemand mehr. Schon seit Tagen nicht. Als Timm sich endlich stöhnend das letzte Stück in den Mund steckt, schiebt Nadja rasch mit beiden Händen ihren Stuhl nach hinten. Keine Minute länger hält sie es aus.

„Haben Sie die gemacht?", fragt in diesem Moment Timm neugierig.

Irritiert folgt Nadja seinen Blicken zu den Fotos an der Wand.

Oh nein! Nicht auch noch das. Die Fotos sind irgendwann kurz nach dem Krieg aufgenommen. Straßenfotos von Trümmerfrauen und einarmigen Männern, die an Schleifsteinen Messer schärfen. Kinder mit Zuckerlutschern und kichernde junge Frauen, denen Russen in Uniformen nachschauen.

„Sind die von Ihnen?", fragt Timm noch einmal.

Nadja durchbohrt ihn mit einem finsteren Blick.

Frau Manke winkt lächelnd ab. „Nein, damals konnte ich mir keinen Fotoapparat leisten. Die Bilder hat Nadjas Opa gemacht."

Timm sieht Nadja triumphierend an, als wäre er auf ein Familiengeheimnis gestoßen. Er steht auf, um die Fotos genauer zu betrachten, denn in dem dünnen Kerzenlicht ist nicht allzu viel zu erkennen. Er drückt auf den Lichtschalter der Deckenleuchte. Doch es bleibt dunkel.

Frau Manke presst die Lippen zusammen und schaut rasch auf ihren Schoß. Nadja spürt die Scham, die gut getarnt hinter all dem Tafelgeschirr und dem Spitzenkragen lebt. Sie haben ihr also auch den Strom abgestellt, denkt sie.

„Mensch, guck doch mal!", ruft Timm plötzlich. „Das war in unserem Geschichtsbuch!"

Aber Nadja interessieren gerade keine Geschichtsbücher. Sie beginnt das schmutzige Geschirr hinauszutragen. Frau Manke sitzt klein und still auf ihrem Stuhl. Timm folgt Nadja in die Küche.

„Was ist denn los?", flüstert er, angesteckt von der plötzlichen Stille.

Doch Nadja antwortet ihm nicht. Sie legt stattdessen Holz in den kleinen Küchenherd, der in der Ecke steht und zündet es an. Einen Moment starrt sie in die züngelnden Flammen, die sich um die Holzscheite winden, ehe sie das Feuertürchen wieder schließt.

„*Ich* kann doch abwaschen", sagt Timm. Er dreht den Hahn des Elektroboilers auf und lässt Wasser in das Spülbecken ein. Doch es kommt nur kaltes.

Nadja nimmt einen kleinen Pfeifkessel, lässt ihn voll Wasser laufen und stellt ihn auf die Eisenplatte des alten Küchenherdes. Dann geht sie ins Wohnzimmer zurück und setzt sich zu Frau Manke. „Ich habe gar nicht gewusst, dass sie meinen Opa gekannt haben."

Frau Manke lächelt Nadja dankbar an. Niemand spricht über den abgestellten Strom. Und über den verschwundenen Vater auch nicht. Aber ein anderes seltsames Thema tut sich auf.

„Dein Opa hatte gegenüber von unserem Haus ein Geschäft. Da, wo später der Altstoffladen reinkam", erzählt Frau Manke.

Nadja wusste bisher nur, dass ihr Opa in den Sechzigern an Tuberkulose gestorben ist. Aber dass er ein richtiges Fotogeschäft hatte? Gleich gegenüber?

„Passfotos, Trauungen, Beerdigungen – er hat alles gemacht, was einem so passiert im Leben. Er richtiger Kiezfotograf eben."

„Haben Sie noch mehr Fotos von ihm?"

Frau Manke schüttelt den Kopf. „Die meisten hat dein Vater."

Zum Glück pfeift in dem Moment der Wasserkessel. Nadja springt auf und läuft in die Küche. Es ist ja noch schlimmer, als sie gedacht hat!

Timm versteht ihre Aufregung nicht. „Frau Manke muss doch bloß dem Hausmeister Bescheid sagen, dass er das Licht repariert." Er gießt das kochende Wasser in die Spüle und macht sich ans Abwaschen. „Hey, Nadja!" Timm stößt sie an. „Das ist doch kein Drama. Und sonst kommt eben ein Elektriker."

Nadja zerschlägt fast eins der hohen Kristallgläser. Sie hat also nicht nur die Fotos ihres Vaters verbrannt, sondern auch die von ihrem Opa! Es ist nie wiedergutzumachen, was sie da angestellt hat! Am liebsten würde sie im Boden versinken. Sie setzt sich auf den kleinen Küchenschemel.

Timm nimmt ihr das Geschirrtuch aus den Händen und trocknet den Rest allein ab. Dann trägt er das saubere Geschirr ins Wohnzimmer, wo Frau Manke alles vorsichtig in die Vitrine zurückstellt.

Nadja möchte endlich gehen und auch Timm scheint genug zu haben. Er wagt keinen Blick mehr zu den Fotos an den Wänden. Frau Manke stellt aber noch eine kleine Kristallschale mit Konfekt auf den Tisch.

Timm macht dicke Backen. Frau Manke lächelt entschuldigend. Jetzt kommt's, denkt Nadja. Jetzt muss sie nach ihrem Vater fragen. Denn dieses Konfekt macht sie nur für ihn.

Aber stattdessen sagt sie: „Dein Großvater war ein feiner Mensch, Nadja. Du hättest ihn sehr gemocht."

Nadja weiß auch nicht, warum sie auf den nie gekannten Großvater plötzlich sauer ist.

„Dein Vater sollte ja sein Geschäft übernehmen. Doch er wollte nicht. Den ganzen Tag nur Passbilder und mal eine Hochzeit waren ihm zu wenig."

Frau Manke lächelt bedauernd.

„Mensch", platzt Timm dazwischen, „dann hätte dein Vater jetzt prima Arbeit. In seinem eigenen Geschäft!"

Im selben Atemzug bereut er seinen Satz, denn Nadja springt vom Tisch auf und schreit ihn an: „Musst du jetzt auch noch auf meinem Vater rumhacken! Was hat er euch denn getan!"

Und sie rennt aus der Wohnung. Wütend und enttäuscht. Wie konnte Timm sie so verraten!

29

Sie hat die Klingel abgestellt, den Stecker vom Telefon herausgezogen und trotz der Hitze auch alle Fenster geschlossen. Seit zwei Tagen hockt sie allein in der Wohnung und in ihrem Kopf hämmert nur ein einziges Wort. *Verräter!* Timm kann ihr für alle Zeiten gestohlen bleiben. Und die anderen auch.

Wenn trotzdem noch jemand an die Wohnungstür klopft, flüchtet sie in die Dunkelkammer. So ganz dem Rest der Welt entzogen könnte sie es darin noch wochenlang aushalten. Doch in der Lautlosigkeit verebbt langsam all ihre Wut und Enttäuschung. Übrig bleibt eine stumme Ernüchterung.

Seit die Ferien begonnen haben, ist jeden Tag etwas anderes passiert. Und sie hat immer nur versucht, alles so gut wie möglich hinzubekommen. Aber alles ist umsonst gewesen!

Vielleicht ist sein Verschwinden Absicht. Denn so bleibt ihr nur noch eine einzige Möglichkeit: Sie muss nach Hamburg ziehen! Sie kann ja nicht ewig allein in der Wohnung hocken. Dafür wird die Frau vom Jugendamt schon sorgen. Und da ihr Vater nicht zurückgerufen hat, wird sie eh bald wieder auf der Matte stehen.

Am dritten Tag gibt Nadja auf. Da sind auch ihre letzten Keksvorräte am Ende. Sie steckt den Telefonstecker wieder rein und stellt die Türklingel an. Und dann wartet sie, dass jemand sie holen kommt. Doch es kommt niemand.

Nachts stellt sie Kerzen in alle Zimmer und zündet sie an. Die Batterien im Rekorder sind leer, sonst könnte sie wenigstens Musik hören. So setzt sie sich auf die Fensterbank und schaut zur Kneipe hinüber. Früher hat sie sich immer geärgert, wenn sie ihren Vater dort entdeckt hat. Jetzt mustert sie jeden Gast in der Hoffnung, sein Gesicht zu finden.

Komisch, so ein *Früher*. Dieses Wort kannte sie bisher nur von ihren Eltern. *Früher* war ihre Zeit in der DDR. Nun hat Nadja auch ein *Früher* – als ihr Vater noch da war.

Die Leute im Bierlokal drüben haben nur ein Jetzt, und das heißt Hunger. Silke muss sich beeilen. Riesige Teller mit Essen balanciert sie zwischen den Tischen. Nadja knurrt auch der Magen. Sie könnte hinübergehen und sich bedienen lassen. Sie hat noch dreihundert Mark. Aber Silke weiß bestimmt schon, dass ihr Vater weg ist. Und Nadja hat keine Lust auf Erklärungen.

Sie legt sich aufs Ledersofa, das jetzt mitten im Raum steht, und verschränkt die Arme unter dem Kopf. An der Wand hängt noch immer ihre kleine Fotogalerie. Doch etwas ist anders. Sie setzt sich verwundert auf. Dass ihr das nicht eher aufgefallen ist! Die Fotos hängen in einer anderen Reihenfolge. Ihr Vater hat sie also doch bemerkt.

Jetzt erzählen die Fotos eine Geschichte, die Geschichte einer Nacht. So seltsam traurig, wie Nadja in jener Nacht zumute war, sind die Fotos gar nicht. Sie atmen einen gemeinsamen Traum. Ihr Vater hat ihn gesehen. Und genau so hat er die Fotos dann aufgehängt, in einem endlos pulsierenden Atem, der alle miteinander verbindet.

Ob er selbst wohl wieder fotografiert? Nadja kann es sich nicht vorstellen. Aber warum hat er den Fotoapparat dann mitgenommen?

Es gibt eigentlich nur eine Erklärung. Er hat ihr den Apparat weggenommen, weil sie nicht fotografieren soll. Vielleicht ist das ihre Strafe für die verbrannten Fotos. Wenn es bloß so wäre, sie würde sie gern annehmen. Doch er hat sie noch nie bestraft. Oder will er sich selbst bestrafen? Aber warum?

Nadja weiß nicht, was sie denken soll. Ihr ist auf einmal kalt. Sie holt sich die Bettdecke aus ihrem Zimmer und legt sich wieder aufs Sofa.

Die Kerzen werfen flackernde Schatten über die weißen Wände und die Fotos der Schlafenden. Durch die

offenen Fenster dringt leises Gemurmel aus dem Biergarten herein. Vielleicht geht ihr Vater zufällig unten
auf der Straße vorbei. Aber wenn er das Licht sieht,
dann weiß er, Nadja ist noch da.

30

Ein seltsames Geräusch weckt sie. Als ob etwas gegen Glas schlägt. Ganz sacht. Nadja liegt zusammengerollt auf dem Ledersofa und lauscht. Das ist bestimmt Papa, denkt sie. Er wirft von unten kleine Steinchen gegen die Fenster.

Mit einem Satz ist sie vom Sofa hoch. Dabei tritt sie auf einen geschmolzenen Wachshaufen. Fluchend humpelt sie zum Fenster. Doch da wirft niemand Steinchen. Da hängt ein großes Pappschild, das im Wind gegen den Fensterrahmen pendelt. Ein Wort steht darauf. Nadja beugt sich aus dem Fenster. Die Schnur kommt vom Dach. So ein Blödsinn, denkt sie und holt eine Schere aus ihrem Zimmer. Dort entdeckt sie ein weiteres Wort.

Jetzt inspiziert sie den Rest der Wohnung. Vor dem Küchenfenster baumelt ein *TUT*. Und im Schlafzimmer pocht ein *ES* gegen die Scheiben. Nadja schneidet die Pappwörter von den Schnüren und legt sie im Wohnzimmer auf die Dielen. *ES TUT MIR SEHR LEID.* Wer seilt denn so etwas vom Dach ab? Ihr Vater? Vielleicht sitzt er ja seit drei Tagen da oben und traut sich nicht herunter. Bestimmt denkt er, Nadja will überhaupt nichts mehr mit ihm zu tun haben. Sie hat ja die Klingel und das Telefon abgestellt. Verdammt. Rasch zieht sie sich ihre Turnschuhe an und steigt die Treppe zum Dach hinauf. Ihre Knie zittern. Sie schämt sich. Auf der kleinen Stiege, die an der Dachluke lehnt, kann sie nicht mehr weiter. Ihr Herz rast. Sie starrt auf das kleine Stück Himmel über sich. Gleich wird sie sein zerknirschtes Gesicht sehen. Vielleicht ist er auch betrunken. Aber Hauptsache, er ist wieder da. Die letzte Stufe nimmt sie mit Schwung und stolpert aufs Dach.

Enttäuscht schaut sie sich um, denn niemand ist zu sehen. Nur die abgeschnittenen Schnüre pendeln über die Dachkante. Da entdeckt sie weiße Pfeile auf der Pappe. Sie zeigen weg von ihrem Haus. Aufgeregt folgt Nadja den Pfeilen über die Dächer. Auf dem Eckhaus enden sie.

Dort steht noch immer Timms Segelboot. Doch diesmal ist es nicht zum Ausflug gerüstet. Timm sitzt auf der Bootskante und grinst sie an: „Ich dachte schon, ich kann das ganze Frühstück allein essen!"

Nadja muss sich am Schornstein festhalten. Ihr ist auf einmal ganz schwindlig. Timm springt auf und zieht sie auf einen Campingstuhl. Er gießt ihr aus der Thermoskanne Tee ein.

„Ich dachte …", stottert sie. Dabei schwappt der heiße Tee auf ihre Jeans.

Timm nimmt ihr die Tasse aus der Hand und stellt sie neben das Boot. Dann hockt er sich vor ihr hin. Nadja sieht den Himmel in seinen Augen. Blau und endlos.

„Es tut mir leid, Nadja. Ich wollte das nicht sagen über deinen Vater."

Nadja fährt ihm kurz mit der Hand durch seine blonden Haare. Sie lehnt sich in den Campingstuhl zurück und betrachtet den liebevoll gedeckten Frühstückstisch. Sie will nicht mehr lügen, will sich keine Entschuldigungen mehr ausdenken für ihren Vater.

„Er ist wirklich weg", sagt sie.

„Wer ist weg?", fragt jemand hinter ihr. Pascal und Biggi kommen über die Dachmauer des Nachbarhauses geklettert. „Stören wir etwa?", fragt Pascal grinsend und klopft sich den Staub von seiner Jeans.

„Nee, überhaupt nicht", knurrt Timm.

„Also, wer ist jetzt weg?", fragt Pascal noch einmal. „Sind doch alle hier, wie ich sehe." Er schnappt sich ein frisches Brötchen vom Tisch und beißt hinein.

„Mein Vater ist weg."

„Echt weg? Abgehauen?" Pascal schaut Nadja ungläubig an. „Wie lange denn schon?"

„Seit drei Tagen."

„So lange dauert kein Rausch."

„Und was machst du jetzt?", will Biggi wissen. „Meinst du, er kommt irgendwann wieder?"

Nadja schüttelt den Kopf.

„Hamburg, ich komme!", flötet Pascal. Biggi stößt ihn in die Seite.

„Ich will aber wenigstens noch bis zum Ende der Ferien bleiben", sagt Nadja leise.

„Na, dann bleib doch. Meine Eltern sind gestern von ihrem Segeltörn zurückgekommen. Du kannst bestimmt bei uns wohnen."

Wieder schüttelt Nadja den Kopf. Die Blamage übersteht sie nicht. Erst lädt sie Timm großartig zu einer Bulgarienreise ein und dann soll sie bei ihm durchgefüttert werden?

Timm scheint ihre Gedanken zu erraten. „Ich habe meiner Mutter erzählt, dass aus der Reise nichts geworden ist, weil dein Vater arbeiten muss."

Nadja starrt Timm fassungslos an. Jetzt lügt er auch schon wie gedruckt. Das muss einfach aufhören. „Es geht trotzdem nicht", sagt sie. „Wegen der Frau vom Jugendamt."

Und dann erzählt sie ihren Freunden auch noch die Sache mit dem Brief, den sie in kleinen Schnipseln über Berlin fliegen ließ. Sie hat jetzt nicht die geringste Ahnung, wann die Frau das nächste Mal bei ihnen auftauchen wird. Und wenn sie herausbekommt, dass Nadjas Vater verschwunden ist, kann Nadja gleich ihren Koffer packen.

Pascal reibt sich den Hinterkopf. „Wer behauptet denn, dass dein Alter nicht mehr da ist?"

„Ach, dann hat er sich wohl unsichtbar gemacht!"

„Nein, er ist nur stark beschäftigt." Pascal macht eine weitläufige Handbewegung übers Dach. „Er bereitet gerade seine neue Ausstellung vor."

Nadja springt wütend auf. „Seid ihr jetzt alle meschugge geworden!"

„Willst du nun den Rest der Ferien noch in Berlin verbringen oder nicht?", fragt Pascal ungerührt.

„Ja", sagt Nadja und lässt sich wieder in den Campingstuhl fallen.

„Dann lass uns dran arbeiten." Pascal setzt sich auch ins Boot und gießt sich Tee in eine Tasse. Timm steht unschlüssig daneben. Biggi hockt sich im Schneidersitz aufs Dach.

„Also, Mädels, ich fasse mal zusammen. Nadja will noch vier Wochen hierbleiben. Aber ihr Alter ist weg. Und wenn die vom Jugendamt das mitkriegt, nimmt sie Nadja gleich mit. Können mir noch alle folgen?" Er wirft einen kurzen Blick in die Runde. „Dann tun wir eben so, als wäre alles roger."

„Und wie sollen wir das bitte schön anstellen?", fährt Biggi dazwischen.

„Lass Onkel Pascal doch mal ausreden." Er kratzt sich am Hinterkopf. „Was glaubt ihr, würde die Alte am meisten beeindrucken, wenn sie einen arbeitslosen Fotografen auf dem Kieker hat, der sich ins Jenseits saufen will?"

Nadja schluckt.

„Wenn er eine neue Ausstellung organisiert, mit allem Drum und Dran. Dann bestimmen nämlich *wir* den Termin, wann sie aufzukreuzen hat."

Biggi verdreht die Augen. Timm ist ein wenig neidisch auf diese irrwitzige Idee. Und Nadja? Die zeigt Pascal einen Vogel.

„Eine Fotoausstellung? Warst du überhaupt schon mal in einer Ausstellung?"

„Nee", gibt Pascal ehrlich zu.

Da müssen alle lachen. Außer Pascal. Der steht beleidigt auf und bohrt seine Fäuste in die ausgebeulten Jeanstaschen.

„Aber die Idee an sich ist nicht schlecht", sagt Timm.

Nadja muss noch immer lachen „Was willst du denn ausstellen? Deine alten Kindergartenbilder?"

Timm hält Nadja am Arm fest, damit sie ihm zuhört. „Dein Vater hat doch Hunderte von Fotos gemacht!"

Nadja entwindet ihm ihren Arm. „Darf ich dich daran erinnern, dass ich die alle abgefackelt habe!"

„Aber die Negative doch nicht."

„Eben", meint Biggi.

Die drei Freunde umringen sie plötzlich. Sie legen einander die Arme um die Schultern, sodass Nadja gefangen in ihrer Mitte steht. Als sie beginnen sich zu drehen, schließt Nadja die Augen, um nicht umzufallen.

„Von Negativen kann man doch Abzüge machen", überlegt Timm.

„Das kostet viel zu viel", sagt Nadja gleich.

„Aber kannst du das nicht selbst?", fragt Biggi. „Du musst das doch im Blut haben."

Nadja entflieht dem Kreis. „Ihr wollt eine Ausstellung organisieren! Und so tun, als ob mein Vater sie gemacht hat. Glaubt ihr denn, niemand merkt, dass da nur Dilettanten am Werk waren?"

Biggi stellt sich ganz dicht vor Nadja, sodass sie keinen Schritt mehr machen kann, ohne vom Dach zu fallen. „Aber du kannst Abzüge machen?"

„Ja, kann ich!", schreit Nadja ihr ins Gesicht.

Biggi tritt einen Schritt zur Seite, doch Nadja will nicht mehr fort.

„Ihr seid echt verrückt", sagt sie tonlos. „Habt ihr überhaupt die leiseste Ahnung, was es heißt, eine Ausstellung zu organisieren? Und wo soll die eigentlich gezeigt werden?"

„Das lass mal unsere Sorge sein. Du bist nur für die Kunst zuständig." Pascal hält ihr seine offene Hand hin.

Nadja holt tief Luft. Wohl ist ihr bei der ganzen Geschichte nicht. Kein bisschen. Aber vielleicht kann sie ja so ihre Feueraktion ein wenig gutmachen. Sie schlägt in Pascals Hand ein. Im selben Moment fallen auch Timms und Biggis Hände darauf. Die Sache ist also beschlossen.

„Können wir jetzt bitte endlich frühstücken?", fragt Timm.

Nun bemerkt Nadja erst den kleinen Blumenstrauß, der neben der Thermoskanne steht.

„Okay, okay", entschuldigt Pascal sich. „Wir wollen das junge Glück nicht länger stören." Grinsend verschwindet er mit Biggi übers Dach.

31

Nadja tigert durch die Wohnung und überlegt. Nachmittags kommen die anderen und wollen loslegen. Doch ihr fällt nichts ein. Sie denkt an die Ausstellungen ihres Vaters, die damals in den Galerien, Betrieben und Kulturhäusern hingen. Als sie klein war, durfte sie manchmal abends mit zu den Eröffnungen. Dann hockte sie auf ihrem Kuschelkissen in einer Ecke, bis ihr die Augen zufielen.

Später ist sie nicht mehr mitgegangen. Der ganze Rummel ging ihr auf die Nerven. Alle tun so, als ob sie wer weiß was für Ahnung von Fotografie hätten. Und dabei können sie nicht mal sehen, was überhaupt auf den Bildern drauf ist.

Und genau so eine Fotoausstellung wollen sie jetzt machen? Und einfach so tun, als ob sie von ihrem Vater wäre? Obwohl sie in der letzten Zeit viel für ihn gelogen hat, wäre das genau eine Lüge zu viel. Denn das würde er ihr nie verzeihen. Er will unsichtbar bleiben.

Das muss sie endlich akzeptieren. Und mit dem Verbrennen seiner Fotos hat sie ihm vielleicht diesen Gefallen getan.

Das werden ihre Freunde aber nie verstehen. Sie muss ihnen die Idee mit der Ausstellung wieder ausreden. Auch wenn sie gern noch ein wenig in Berlin bleiben würde. Am besten ruft sie selbst beim Jugendamt an und gibt Bescheid. Dann erspart sie ihrem Vater wenigstens die Scham, nicht einmal mehr für seine Tochter sorgen zu können.

Wo er wohl steckt? Viel mitgenommen hat er nicht. Sie geht ins Schlafzimmer. Da sieht es aus wie immer. Obwohl ihre Mutter schon ein halbes Jahr nicht mehr hier wohnt, hält er immer noch ihr Bett frisch bezogen. Seines liegt aufgeschlagen daneben. Nadja legt sich in die Bettkuhle. Im Kopfkissen schläft noch sein Geruch nach Rauch, Wein und ein wenig Rasierwasser. Sie vergräbt ihre Nase ins Kissen. Da ist aber noch ein leiser Hauch von etwas anderem. Frische Äpfel. Sie atmet ihn so tief ein, bis ihr schwindelig davon wird und nur noch ein einziger Gedanke in ihrem Kopf schwirrt: Mama.

Da fällt ihr etwas ein. Sie rappelt sich aus dem Bett und geht ins Wohnzimmer. Lange steht sie vor der geschlossenen Zwischentür. Seit ihre Mutter weg ist, hat niemand mehr ihr Arbeitszimmer betreten. Es war wie ein magischer Raum, vor dem sie sich beide fürchteten. Langsam drückt Nadja jetzt die Türklinke herunter. Dumpfe Wärme schlägt ihr entgegen. Einen Moment glaubt sie die Stimme ihrer Mutter zu hören: „Bitte Nadja, jetzt nicht."

Nadja macht die Flügeltür weit auf. Über der Lehne des Schreibtischstuhls hängt noch Mamas Strickjacke, ein Geburtstagsgeschenk von Frau Manke. Wahrscheinlich passt die alte Schafwolljacke nicht in ihre neue Hamburger Wohnung. Der Schreibtisch ist leer geräumt. In der Mitte steht nur ein einziges Foto. Nadja gerahmt in Gold auf ihrem ersten Fahrrad.

Zögernd betritt sie das Zimmer und setzt sich auf das breite Fensterbrett. In den hohen Regalen stehen noch immer Unmengen von Büchern. Eigentlich fast alle. Als wäre ihre Mutter nicht wirklich ausgezogen. Nadja zieht die Knie unters Kinn. Das Ganze sieht auch eher nach überstürztem Weglaufen aus. Ohne ihre Bücher kann sich Nadja ihre Mutter überhaupt nicht vorstellen. Selbst beim Kochen hat sie noch gelesen.

Das aufgeheizte Papier verbreitet einen stickigen Geruch. Nadja öffnet die oberen Fenster. Dann gleitet sie vom Fensterbrett und läuft an den Regalen entlang. In den unteren Fächern stehen kleine nummerierte Kästen. Nadja zieht einen auf. 1981. In dem Jahr wurde sie geboren.

Sie setzt sich in den Schreibtischstuhl ihrer Mutter und legt die Beine auf den Tisch. Wenn ihr Vater nicht mehr auftaucht und sie nach Hamburg zieht, wird der Vermieter alles auf den Sperrmüll schaffen. Den Tisch, den Stuhl und die schmale Liege, auf der ihre Mutter manchmal schlief, wenn sie es nachts vor Müdigkeit nicht mehr in ihr Bett schaffte.

Nadja steigt auf den Schreibtisch und hüpft darauf herum. Das alte Holz ächzt und knarrt. Niemand ist mehr da, der ihr was verbieten könnte. Jedes Buch einzeln könnte sie auf den Hof werfen, die halbe Straße zu einer Party einladen. Alles kann sie machen, einfach alles!

Sie springt vom Tisch auf die Liege. Beim Aufkommen schlagen ihr ziemlich unsanft die Knie unters Kinn, denn die flache Liege ist hart wie ein Brett. Als der Schmerz endlich nachlässt, klopft sie mit der Faust auf das ungepolsterte Schlafteil. Darunter klingt es hohl.

Nadja rutscht von der Liege, die in Wirklichkeit keine ist, sondern eine große Kiste mit einem grell bezogenen Schaumgummideckel. Seltsam, dass Nadja das noch nie bemerkt hat. An der Seite gibt es nämlich zwei Eisenschnallen. Nadja lässt sie hochschnappen.

Es ist ein schnörkelloses Teil aus den Siebzigern in schrägem Orange. Früher haben noch zwei Plastesessel dazugehört, die aussahen wie aufgeklappte Ostereier. Nadja hat keine Ahnung, wohin die verschwunden sind. Bestimmt hat Papa sie verschenkt. Er hat so vieles früher verschenkt.

Neugierig kniet Nadja vor der riesigen Kiste. Vielleicht liegen ja Mamas alte Liebesbriefe darin? Sie klappt die Sitzfläche nach hinten. Es sind aber keine Briefe drin, sondern Hunderte von kleinen Filmrollen!

Na toll. Enttäuscht lässt sie den Deckel der Truhe wieder zufallen.

Aber seltsam ist es doch. Was sind denn das für Filme? Die von ihrem Vater liegen in der Dunkelkammer. Nadja klappt den Deckel wieder hoch und nimmt eine Filmrolle heraus. Gespannt betrachtet sie die einzelnen Bilder gegen das Fensterlicht. Von ihrem Vater sind sie jedenfalls nicht. Das sind ganz alte Bilder. Zerbombte Häuser, entgleiste Straßenbahnen, jede Menge Schutt und Kaputt.

Nadja rollt den Film wieder zusammen und nimmt einen anderen heraus. Sieht nach einer Passbildreihe aus. Auf einem dritten tummelt sich eine Hochzeitsgesellschaft. Wahrscheinlich sind das die Sachen von ihrem Opa. Aber warum hat ihre Mutter sie in ihrem Arbeitszimmer?

Nadja klappt den Deckel wieder zu und setzt sich vorsichtig auf die Kiste. Sie hat noch immer keine Idee für die Ausstellung. Und ihre Freunde haben nicht die mindeste Ahnung, dass sie Hunderte von Filmen aufrollen müssen, um die Fotos erst einmal zu sichten. Das allein dauert doch schon Wochen! Aber so viel Zeit haben sie nicht.

32

„Ich hab die Sache voll im Griff", erklärt Pascal, während er im Wohnzimmer auf und ab läuft. „Die Pressearbeit ist schon so gut wie abgeschlossen." Er hält einen dicken Packen Briefe und Karten in der Hand.

Biggi wirft Nadja einen Blick zu und verdreht leicht die Augen.

„Aber zuerst müssen wir uns diese Schnepfe vom Jugendamt vom Hals halten", fährt Pascal fort und gibt Nadja einen Brief. „Am besten, du bringst ihn gleich persönlich hin."

„Du kannst doch nicht einfach irgendwas schreiben! Wir haben doch noch gar nichts besprochen!" Panik steigt in ihr auf.

Pascal lässt sich aber nicht aus der Ruhe bringen. „Lies doch erst mal!" Er hält ihr eine Karte vor die Nase.

Hiermit sind Sie recht herzlich zur Robert-Thamm-Ausstellung am 30. Juli 1995 um 20:00 Uhr in die Gale-

rie Kastanienallee Nr. 12 eingeladen. Wir freuen uns auf Ihr Kommen.

„Du hast echt 'nen Knall!", schreit Nadja ihn an.

„Das ist in einer Woche!"

„Ich denke, du willst noch Ferien machen. Wie lange soll das bisschen Ausstellung denn dauern?", verteidigt Pascal sich.

„Und außerdem, wo soll die *Galerie in der Kastanienallee 12* überhaupt sein? Ich wohne in der Zwölf, aber ich habe hier noch nie eine Galerie gesehen!" Nadja ist wütend aufgesprungen.

Timm zieht sie an der Hand auf den Boden zurück. „Lass ihn doch erst mal ausreden. Aufregen kannst du dich dann immer noch."

Pascal setzt sich jetzt auch im Schneidersitz zu den anderen. Seine Großspurigkeit ist ihm ein wenig vergangen. „Ich dachte, wir könnten eure Wohnung nehmen. Mein Vater würde uns sogar helfen, hat er gesagt."

Irgendetwas würgt in Nadjas Hals. „Dein Vater?", sagt sie entsetzt.

„Er hat gesehen, wie ich die Einladungen an seiner Schreibmaschine getippt habe. Was sollte ich denn da sagen? Er findet es jedenfalls toll, dass es endlich wieder eine Thamm-Ausstellung gibt."

„Aber das ist doch eine glatte Lüge!", heult Nadja. „Mein Vater ist überhaupt nicht da. Und in einer Woche kriegen wir nie eine komplette Ausstellung auf die

Beine gestellt. Und was glaubt ihr, was passiert, wenn der Hauseigentümer das mitkriegt ..."

„Den laden wir auch ein", sagt Biggi.

„Ihr habt vielleicht Nerven", schnieft Nadja.

Timm gibt ihr ein Taschentuch. „Lass es uns wenigstens versuchen."

Nadja zeigt auf die anderen Briefe, die Pascal auf dem Boden gestapelt hat. „Und für wen sind die alle?", fragt sie vorsichtig.

Pascal zuckt unsicher mit den Schultern, um nicht noch einen Wutsturm in Nadja zu entfachen. „Ach, ein bisschen Lokalpresse, Stadtradio, Kulturleute und so."

„Hast du etwa schon welche abgeschickt?"

Pascal nickt stumm. Für einen Augenblick glaubt Nadja, eine Welle schlägt über ihr zusammen. Sie bekommt keine Luft. Biggi rennt zum Fenster und reißt die Flügel weit auf. Laue Nachmittagsluft quillt herein. Besorgt nimmt Timm ihre Hand.

Nadja zieht ihre Hand zurück. „Na gut", sagt sie. „Fehlt ja nur noch eine Kleinigkeit. Die Idee für die Ausstellung."

Pascal zeigt auf Nadjas Fotos der Schlafenden an der Wohnzimmerwand. „Da haben wir doch schon mal was."

„Mensch, die sind viel zu klein. Außerdem müssen die Sachen gerahmt werden. Wie sieht das denn sonst aus! In einer echten Robert-Thamm-Ausstellung werden keine Fotos an die Wand genagelt!"

Pascal winkt beschwichtigend ab und holt ein kleines Notizheft aus seiner Tasche. „Ich höre. Rahmen also. Wie viele? Wie groß?"

„Das weiß ich erst, wenn ich die Fotos dazu habe."

„Aber die Einladungen müssen auch bald raus", sagt Biggi. „Sonst kommt ja keiner."

Timm hat sich bisher aus allem herausgehalten. Er ist weder ein großartiger Organisator noch hat er die geringste Ahnung von Fotografie. Er kann nur eins wirklich gut. Und das ist Segeln.

„Ich habe eine Idee", sagt er. „Nennen wir die Ausstellung doch *Die Reise ans Meer*."

Überrascht schaut Nadja ihn an. Sie kann sich nicht erinnern, dass ihr Vater Fotos vom Meer gemacht hat. Vielleicht damals in Bulgarien. Aber das soll doch kein Folkloreabend werden.

„Brauchen wir denn unbedingt ein Thema?", fragt Biggi.

Nadja stöhnt. Mit Dilettanten über Kunst zu reden ist eben nicht leicht. „Wir können doch nicht irgendwelche Fotos an die Wand hängen!"

Pascal steht auf und läuft wieder durchs Zimmer. So hat er sich das nicht vorgestellt. Dasitzen und Nachdenken ist nicht sein Ding.

„Weißt du was?", schlägt er vor. „Biggi und ich verteilen die Einladungen und schauen uns schon mal nach Rahmen um, und du kümmerst dich mit Timm um die Idee."

Timm wäre auch lieber Briefe verteilen gegangen, doch Pascal ist mit Biggi schon aus der Wohnung.

„Ich habe ehrlich gesagt keine Ahnung von Fotos", gibt Timm kleinlaut zu, als die beiden gegangen sind.

Nadja steht von den Dielen auf. „Komm mal mit. Ich zeig dir was", sagt sie und geht ins Arbeitszimmer ihrer Mutter. Sie zieht einen der großen Kästen auf, in dem ihre Mutter die Fotoserien archiviert hat. Timm nimmt eine der sorgfältig beschrifteten Karten heraus. *Nr. 176: Berlin Sommer 1988 – nachmittags in Marzahn.*

„Und wo ist der Film dazu?", fragt Timm.

Nadja zuckt mit den Schultern. „Vielleicht in der Dunkelkammer." Sie holt aus der Küche eine Kerze und zündet sie an. Als sie damit die Dunkelkammer betreten will, hält Timm sie am Arm zurück. „Bist du verrückt! Die Hütte steckt voller Papier! Willst du die auch noch abfackeln? Warte mal!"

Er kramt in seinem Rucksack herum und zieht dann schließlich eine Taschenlampe hervor. Während Nadja die unzähligen Schubkästen in der Dunkelkammer aufzieht, leuchtet ihr Timm. Die Fächer sind ähnlich nummeriert wie die Kästen im Arbeitszimmer – und randvoll mit Negativen.

„Ist das alles?", fragt Timm.

„Die reichen dir wohl nicht!" Nadja verlässt die Kammer. Sie hat nicht die geringste Ahnung, wo sie anfangen soll.

Timm kommt ihr nach. „Wo sind denn die Fotos von

deinem Opa? Frau Manke hat doch gesagt, dein Vater hat sie alle."

Nadja schüttelt den Kopf. „Wieso Opa? Ich denke, mein Vater macht diese Ausstellung?"

„In einer Robert-Thamm-Ausstellung können doch auch Robert-Thamm-Senior-Fotos sein. Und überhaupt: Du bist doch die Organisatorin!"

„Und was soll das heißen?" Nadja schaut Timm fragend an.

„Dass wir unsere eigene Ausstellung machen können. Dann ist das alles auch keine Lüge, verstehst du?"

Nadja versteht sogar sehr gut. Es ist, als ob ihr plötzlich eine unendliche Last von den Schultern genommen wurde. Eine Last, die jeden Gedanken erdrückt hat.

„Nicht schlecht für einen Segler", sagt sie anerkennend und dann fällt sie Timm um den Hals. „Wir können alles machen! Wirklich alles!", wiederholt sie noch einmal ungläubig, ehe sie Timm wieder loslässt.

Der steht jetzt etwas unbeholfen im Flur. Er hätte eher von Nadja einen neuen Wutanfall erwartet. Dass sie auch einmal auf ihn hört, verwirrt ihn.

„Aber wozu brauchen wir dann die Fotos von meinem Opa?", will sie trotzdem wissen.

„Gehört er etwa nicht zur Mannschaft?"

„Was denn für eine Mannschaft?"

„Als Segler kann ich dir nur sagen, wir werden eine ganze Mannschaft brauchen, wenn nur die Hälfte der Leute kommt, die Pascal eingeladen hat."

Nadjas frohe Stimmung ist gleich wieder dahin. „Na, toll", sagt sie. „Gehen wir also mit einem toten Opa segeln!"

„Genau. Mit einem toten Opa, einem abgehauenen Vater und einer ausgezogenen Mutter."

Nadja schluckt. So kennt sie Timm überhaupt nicht. Sonst sagt er fast nie etwas. Und in so einem Ton schon gar nicht. Jedes seiner Worte hat getroffen. Seltsamerweise ist sie ihm nicht böse. Denn trotz seines Sarkasmus weiß sie, er wird diese Ausstellung mit ihr durchstehen. Auch wenn alles schiefgeht.

„Wir brauchen aber noch jemanden, der uns hilft", sagt sie. „Allein schaffen wir das wirklich nicht."

33

Sie stehen vor einem maroden alten Gründerzeithaus. Nadja klopft schon eine Weile gegen die heruntergelassenen Jalousien im Erdgeschoss, doch niemand zeigt sich.

Timm kann sich nicht vorstellen, dass sie hier irgendwelche Hilfe zu erwarten haben. „Kannst du mir jetzt endlich mal verraten, was wir in dieser Bruchbude eigentlich wollen?"

„Hier war mal ein Fotogeschäft", erklärt Nadja.

„Ja klar, zur Jahrhundertwende." Timm haut mit der Faust gegen die Jalousien. Da brechen gleich zwei Latten heraus.

Nadja ist beleidigt. „Hier wohnt ein alter Mann, ein Fotograf."

Sie läuft ins Vorderhaus und steigt die Treppe hoch. Es riecht trotz der Wärme modrig feucht.

Timm folgt ihr unwillig. „Hier wohnt kein Mensch mehr!", ruft er ins Treppenhaus hinauf.

„Aber er hatte doch einen Tisch gedeckt im Hof!",
ruft Nadja zurück.

Im dritten Stock hat Timm sie eingeholt. Sie stehen
vor einer Wohnungstür, an der bunte Ansichtskarten
aus Norwegen kleben. Nadja klopft an. Ein junger
Mann mit blauen Haaren öffnet ihnen. Als sie nach
dem alten Fotografen fragen, schüttelt er den Kopf.

„Ein Fotogeschäft im Parterre?"

„Letzte Woche war es noch auf!"

„Das Haus steht seit Jahren leer. Tut mir leid." Der
Blauhaarige schließt wieder seine Tür.

„Bist du dir sicher, dass es dieses Haus war?", fragt
Timm, als sie die Treppe wieder hinabsteigen.

Nadja geht auf den Hof. Da steht noch immer der
kleine Tisch mit dem Gartenstuhl und dem wackeligen
Küchenhocker. Ansonsten ist keine Menschenseele zu
sehen. Der gesamte Seitenflügel ist wie ein Märchen-
schloss mit Efeu zugerankt.

„Na ja, war einen Versuch wert", sagt Timm schulterzuckend.

Plötzlich stutzt Nadja. Aus dem Efeu ragt eine Türklinke heraus. Sie drückt sie herunter. Im Nu ist sie in
dem grünen Blätterwald verschwunden und landet in
einem dunklen Treppenhaus. Sie hört Timm von draußen rufen.

„Hier bin ich!", ruft sie.

Timm schlüpft zu ihr durch die Märchenhecke, dann
tasten sie sich gemeinsam am Geländer hinauf.

Auf einmal leuchtet ihnen etwas grell ins Gesicht.
„Verschwindet!"
Erschrocken halten sie die Hände vor die Augen.
Zwischen den Fingern hindurch erkennt Nadja den
alten Fotografen, der wild mit einer Taschenlampe vor
ihrer Nase herumfuchtelt und einen Spazierstock durch
die Luft schwingt.
„Ich bin es doch!", ruft sie gegen das Gefuchtel an.
Timm versucht sie fortzuziehen. Nadja spürt, dass
ihm der Alte nicht geheuer ist. Doch sie rührt sich nicht
von der Stelle.
„Ich bin es doch", wiederholt sie noch einmal.
Da lässt der Fotograf seinen Stock sinken. Er murmelt eine Entschuldigung. „Ich dachte schon, jetzt
kommt das Räumkommando." Er winkt die beiden in
seine Wohnung. „Vorgestern haben sie mir den Strom
abgestellt. Wasser kommt auch keins mehr. Die Neuen
wollen mich rausekeln, weil ich nicht freiwillig gehe.
Aber wo soll ich denn hin?"
„Wir haben Sie gesucht", sagt Nadja, als sie ihm in
seine Wohnung folgen.
Timm zieht sie noch einmal am Arm, doch Nadja
denkt nicht daran, ihr Vorhaben aufzugeben. Im Wohnzimmer empfängt sie eine brennende Weihnachtsbaum-
beleuchtung, die an eine alte Trabbibatterie geklemmt
ist. Timm schaut Nadja verdutzt an. Der Alte lächelt
verschmitzt. In wenigen Sätzen erklärt Nadja ihm, weshalb sie ihn brauchen.

„Tja, Mädel", sagt er und kratzt sich an der grauen Schläfe, „aber ohne Wasser und Strom kann ein Fotograf nicht arbeiten."

Nadja schluckt. Daran hat sie überhaupt noch nicht gedacht. „Und sonst würden Sie uns helfen?", fragt sie leise.

Der alte Mann lächelt traurig. „So einen Auftrag hatte ich ehrlich gesagt noch nie. Was sagt denn dein Vater dazu?"

Nadja hat ihm bisher verschwiegen, dass ihr Vater überhaupt nichts dazu sagen kann, weil er nämlich nicht mehr da ist und sie eigentlich die Frau vom Jugendamt beeindrucken wollen. Die Sache mit den verbrannten Fotos erzählt sie ihm dann auch noch. Jetzt ist sowieso alles egal.

„Du bist ein tapferes Mädchen", sagt er nach einer Weile.

Das nützt ihr aber auch nichts. Ohne Strom.

Timm hat die ganze Zeit stumm danebengestanden. „Aber wenn wir Strom hätten", fragt er, „würden Sie uns dann helfen?"

Der Alte kratzt sich wieder an der Schläfe. „Ich weiß zwar nicht, wie ihr das anstellen wollt. Aber versuchen würde ich es."

Timm packt Nadja bei der Hand. „Vielen Dank!", ruft er und rennt mit ihr die dunkle Treppe hinunter.

„Langsam!", schimpft Nadja, als er sie durchs Efeu zieht.

„Er hat gesagt, er wird uns helfen. Also besorgen wir jetzt den Strom!"

Er rennt mit ihr zur nächsten Telefonzelle. Im dicken Telefonbuch sucht er die Nummer der Stadtwerke.

„Hier!" Er wirft ein paar Münzen ein, wählt und hält Nadja den Hörer ans Ohr. Das Freizeichen ertönt. Nadja verdreht die Augen. Und schon meldet sich eine Stimme.

Sie stottert. „Ja, hier Thamm. ... Ja, ich weiß, wir haben nicht bezahlt. Aber ... ja ... gut ..."

Sie macht Timm ein Zeichen. Er kramt einen Stift aus seinem Rucksack. Hastig krakelt sie die Kontonummer der Stadtwerke ins Telefonbuch. Dann hängt sie mit schwitzigen Fingern den Hörer in die Gabel. Timm reißt die Seite aus dem Telefonbuch und faltet sie sorgfältig zusammen. „Jetzt gehen wir erst mal bezahlen."

Nadja seufzt. Ihre dreihundert Mark braucht sie ja nun nicht mehr für die Miete. Im nächsten Monat wird niemand mehr in ihrer Wohnung wohnen. Fast tut es ihr leid, dass das ganze Geld für Strom draufgeht.

Als sie vor dem Schalter in der Sparkasse warten, beschleichen Nadja Zweifel, ob es sich überhaupt lohnt. Ihr Vater ist vor jeder Ausstellung wochenlang nicht ansprechbar gewesen. Manchmal hat er an einem einzigen Foto einen ganzen Tag gearbeitet. Alle möglichen Bildformate und Fotopapiere hat er ausprobiert, nur um jenen einzigartigen Moment zu finden, den er der Zeit zwischen zwei Belichtungssekunden entreißen wollte.

Für Pascal sind das einfach nur Bilder, für Timm noch drei Wochen gemeinsame Ferien und Biggi würde eh das letzte Hemd mit ihr teilen. Und sie selbst? Die Ausstellung wird das Letzte sein, woran sie sich hier erinnern wird. Wenn sie es schaffen.

Timm gibt ihr einen Stups. Sie sind dran. Nadja schiebt die drei blauen Scheine mit dem Einzahlungsbeleg zur Kassiererin hinüber. Die knallt ihren Stempel auf die Einzahlung und schiebt Nadja die Quittung und acht Mark sechzig zurück. Auf einen Schlag ist sie ihr ganzes Geld los. Wenn sie jetzt nach Hamburg will, muss sie mit Timms Segelboot die Elbe hinaufschippern.

34

Nadja sitzt auf der Treppe vor dem Haus. Oben in der Wohnung ist es vor Hitze nicht auszuhalten. Draußen weht wenigstens noch ein bisschen Wind, auch wenn er nur Backofenwärme pustet. Es ist schon lange Feierabend und die kleine Kneipe gegenüber füllt sich langsam mit Gästen. Da hält ein alter VW-Kleinbus auf der Straße und Pascal springt winkend heraus. „He, Nadja! Pack mal mit an!"

Auf der Fahrerseite klettert sein Vater heraus und öffnet die hintere Wagentür. Nadja schaut verdutzt in das Innere des Autos. Es ist von oben bis unten mit Bilderrahmen beladen.

Pascals Vater hievt zuerst die großen auf die Straße und trägt sie vorsichtig auf den Gehweg, wo er sie gegen die Hauswand lehnt.

„Na, Mädel, das wäre doch gelacht, wenn die Ausstellung deines Vaters an den Rahmen scheitern sollte! Ist er denn da?"

Pfeifend holt er den nächsten Rahmen. Pascal macht Nadja Zeichen, jetzt keine Fragen zu stellen.

„Nee, gerade nicht", stammelt Nadja und schnappt sich auch einen Rahmen. „Wo haben Sie die denn alle her?"

„Wir reißen gerade ein Kulturhaus ab", sagt Pascals Vater gut gelaunt. „Stell dir vor, die Rahmen sollten auf den Müll. Und da hat mir Pascal von der tollen Ausstellung deines Vaters erzählt."

Nadja schluckt.

„Ihr müsst mich aber zur Eröffnung einladen!", sagt er, als er den letzten schweren Rahmen auf den Gehweg geschleppt hat. Zufrieden wischt er sich die staubigen Hände an den Hosen ab.

„So, macht's gut. Ich muss noch mal auf den Bau. Irgendeine Kunstkommune will das Mobiliar von der Kantine. Das soll Bauhausstil sein. Von mir aus. So entsorgt sich der ganze Müll von selbst."

Nadja betrachtet besorgt die vielen Rahmen, die jetzt alle an der Hauswand lehnen.

„Dein Vater kann das doch hochtragen, Nadja!" Pascals Vater steigt wieder ins Auto und fährt laut hupend davon.

„Kannst du mir mal verraten, was wir mit zweihundert Rahmen sollen?", fragt Nadja fassungslos.

„Zweihundertdrei", verbessert Pascal sie. „Hab ich beim Einladen gezählt."

„Sollen wir etwa das ganze Haus damit behängen?"

„Keine schlechte Idee!" Pascal grinst. „Im Westen nennt man so was Werbung."

Als Timm vom Zeitungsaustragen zurückkommt, haben sie schon einen Großteil der Rahmen sortiert und die brauchbaren in die Wohnung hochgeschleppt. Mehr können sie beim besten Willen nicht unterbringen. Den Rest stellen sie unten in den Flur. Erschöpft sitzen sie schließlich wieder auf der Treppe vorm Haus.

„Dein Vater ist echt schwer in Ordnung", sagt Timm zu Pascal.

Aber meiner nicht, denkt Nadja und schaut zum vollen Biergarten hinüber.

„Wollen wir noch was trinken?", fragt Pascal.

Nadja zuckt mit den Schultern. Seit ihrem letzten Auftritt ist der Wirt nicht mehr gut auf sie zu sprechen. Da läuft Pascal allein hinüber und kommt nach einer Weile mit einem Tablett und drei großen Gläsern eiskalter Cola wieder.

Rahmen haben sie jetzt wirklich zur Genüge, und wenn der Strom wieder angestellt ist, hilft ihnen der alte Fotograf beim Abziehen der Negative. Nadja fehlt nur etwas Klitzekleines. Eine Idee. Sie drückt ihre Stirn gegen das kalte Glas. Vielleicht ist es ihrem Vater auch so gegangen. Er hatte einfach keine Ideen mehr.

Pascal und Timm schauen sie schon eine Weile erwartungsvoll an. Nadja stellt entschlossen das leere Glas aufs Tablett zurück.

„Und jetzt?", fragt Pascal.

„Jetzt gehen wir schlafen. Tausend Dank, Jungs. Bis morgen!"

Die Nacht hat sie noch einmal gerettet.

35

Nadja liegt in ihrem Hochbett und starrt an die Decke. Obwohl sie todmüde ist, kann sie nicht einschlafen. Eine Cola ist eben kein Abendessen. Aber sie muss gar nicht erst in der Küche nachschauen. Es gibt in der ganzen Wohnung nicht mehr den kleinsten Kekskrümel.

Sie träumt vom Schwarzen Meer. Den ganzen Tag nichts als schwimmen und in der Sonne liegen und abends gemeinsam essen. Als Vorspeise nimmt sie vielleicht eine kalte Gurkensuppe mit Knoblauch und dann Hirtenspieße mit Walnusssoße und gegrillte Makrelen. Oder doch besser Kebaptscheta mit Schopska-Salat? Auf jeden Fall aber Quark-Pogatschen mit Sahne und zum Schluss noch ein riesiges Stück Palatschinki-Torte mit selbst gemachter Himbeermarmelade. Und vielleicht erlaubt Papa ihr auch ein kleines Schlückchen Pflaumenlikör. Den macht Grigoris Frau von den süßen Pflaumen, die hinterm Haus wachsen.

Nadja wird ganz schwindelig von dem vielen Essen.

Sie dreht sich auf den Bauch und schaut in die Nacht hinaus. Bei Frau Manke in der Küche brennt noch eine kleine Kerze.

Da hört sie ein Klopfen. Laut und ungeduldig. Egal, wer da klopft, denkt sie. Schlimmer kann es nicht werden. Sie geht zur Tür.

Draußen steht Biggi mit zwei schweren Plastetüten in der Hand. „Mensch, Nadja, bist du taub?"

Nadja starrt Biggi wie eine Außerirdische an.

„Mann", schimpft die weiter, „mir fallen gleich die Arme ab!" Sie stürmt an ihr vorbei in die Küche und hievt die beiden Tüten auf den Küchentisch.

Verwundert schaut Nadja zu, was Biggi alles auf dem Küchentisch stapelt. Brot, Käse, Wurst, Tomaten, Schokolade, Saft, Gurken, Äpfel und jede Menge Teelichte. Nadja setzt sich, während Biggi zum Schluss die Kerzen auf die Fensterbank stellt und anzündet. Die gute alte Biggi, die nie ohne Survivalpaket auf Klassenfahrt gegangen ist und auf der Heimfahrt regelmäßig ihre letzte Brause mit Nadja teilte, weil sie schon an der Schule alles ausgetrunken hatte. Nadja hat sich nie Gedanken um irgendwelche Rückfahrten gemacht.

„Du musst jetzt mal was essen", sagt Biggi und säbelt entschlossen ein paar Brotscheiben ab.

„Hast du eine Kaufhalle geplündert?"

Biggi belegt die Brote abwechselnd mit Käse und Wurst. „Frag nicht immer so viel. Iss einfach", sagt sie und drückt Nadja eins in die Hand.

„Weißt du noch", sagt Nadja kauend, „als wir mit unserem Floß auf der Spree zur Ostsee wollten?"

„Du meinst, als uns die Jungs aus dem Wasser gezogen haben, weil deine Konstruktion nicht funktioniert hat?"

Nadja lacht. „Und warum sind wir gesunken? Weil wir Proviant für ein halbes Jahr dabeihatten!"

„Ach, Nadja", seufzt Biggi. „Deine Mutter hat noch mit dem Haarföhn meine Klamotten getrocknet. Weißt du noch? Weil meine Mutter sonst einen Herzinfarkt bekommen hätte. Und dein Vater hat mit uns dann ein neues Floß gebaut, eins, das nicht untergegangen ist. Du hast echt tolle Eltern."

Nadja seufzt. „Wenn du das sagst."

Von den vielen Broten tut ihr langsam der Bauch weh. Sie mag nicht mehr erzählen, vor allem nicht von früher. Sie mag nur noch in ihr Bett.

Biggi verabschiedet sich zufrieden. „Bis morgen, Nadja." Und seit Langem nehmen sie sich wieder einmal in die Arme.

Dann steht Nadja allein in der Küche. Sie pustet die Teelichte aus, bis auf das letzte. Da sieht sie drüben im dunklen Seitenflügel jemanden mit einer Kerze winken. Die alte Frau Manke. Nadja winkt mit ihrem kleinen Licht zurück.

36

Am nächsten Morgen läutet unablässig das Telefon.
Pascal scheint ganze Arbeit geleistet zu haben. Zuerst
ruft die Frau vom Jugendamt an, die sich schon sehr auf
die Ausstellung freut. Keine Rede mehr von Hamburg.
Und dann folgen Zeitungen und Kulturleute, sogar vom
Radio ist einer dabei. Alle wollen sie mit ihrem Vater
sprechen.

Nadja erzählt ihnen, er sei gerade nicht zu Hause.
Was ja nicht einmal gelogen ist. Aber als der Dekan der
Kunsthochschule anruft und wissen will, ob es auch
einen Katalog gibt, zieht sie kurzerhand den Telefonstecker aus der Dose. Angst hämmert ihr gegen die
Schläfen. So eine Blamage! Das merkt doch jeder Idiot,
dass die Ausstellung nicht die Handschrift ihres Vaters
trägt.

Als Pascal mittags kommt, hockt sie in der Dunkelkammer.

„Mensch, Nadja", brüllt er aus dem Treppenhaus,

als ihm niemand öffnet, „du kannst doch nicht bis Mittag pennen, wo wir so viel zu tun haben!"

Nadja lässt ihn stöhnend in die Wohnung. „Was denkst du, was seit heute Morgen hier los ist! Musstest du gleich die halbe Stadt einladen?"

„Ist doch super!" Pascal boxt ihr gegen die Schulter.

„Gar nichts ist super!" Nadja boxt zurück.

„Na, ich hab meinen Teil der Arbeit jedenfalls gemacht."

Er verschränkt die Arme vor der Brust. Nadja starrt ihn wütend an. Niemand sagt ein Wort. Er hat ja Recht, denkt sie. Seine Sache hat er wirklich gut gemacht. Und sie hat sich noch nicht einmal richtig bedankt.

Da hören sie durch die offene Wohnungstür Schritte im Treppenhaus. Nadja macht Pascal wilde Zeichen, dass er sich nicht von der Stelle rühren soll. Vielleicht ist das schon der erste Besucher.

„Niemand zu Hause? Herr Thamm?"

„Gehen Sie nur weiter!", hören sie Biggi hinter ihm rufen.

Nadja hält die Luft an. Plötzlich steht ein Mann im blauen Arbeitsanzug und mit einem Werkzeugkoffer im Flur.

„Tach", sagt er. „Ich soll bei Thamm den Strom wieder anstellen."

Nadja kann sich auf einmal vor Prusten nicht mehr halten. Biggi lässt sich auch gleich anstecken, bis sie beide nach Luft japsen.

„Ja, kann ick nun?", fragt der Mann irritiert.

Nadja zeigt ihm kichernd den Weg. Der Mann macht sich an der Plombe des Stromzählers zu schaffen. Sie geht mit Biggi und Pascal ins Wohnzimmer. Da hängen noch immer ihre *Nachtschläfer* einsam und allein an der weißen Wand.

Nach ein paar Minuten ruft der Klempner aus dem Flur: „Alles klar! Strom geht wieder."

„Wunderbar, dann können wir ja loslegen", sagt Pascal begeistert.

Nadja drückt auf einen Lichtschalter. Die Deckenlampe leuchtet. Irgendwie könnte sie plötzlich heulen. Sie beißt sich auf die Zunge.

„Also, wie geht's weiter?", fragt Pascal.

Nadja zuckt mit den Schultern und schaut auf ihre nackten Füße.

„Jetzt reiß dich mal zusammen!" Selbst Biggi wird langsam ungeduldig. „Wir wollen dir doch helfen."

Das ist es ja eben, denkt sie. Ihr kann niemand helfen. Genauso wenig wie ihrem Vater jemand helfen konnte. Nicht ihre Mutter und Nadja auch nicht. Sie hat das lange Zeit nicht verstanden, so wie Biggi das jetzt nicht versteht. Nadja seufzt und bohrt mit dem großen Zeh in einer Dielenritze.

Pascal lässt sich davon nicht abbringen. „Also, man braucht doch sicher noch mehr als nur Bilderrahmen. Oder?"

Nadja seufzt noch mal. „Wenn ich jemals aus diesen

hunderttausend Negativen eine Auswahl treffe, brauchen wir Entwickler und Fixierer."

„Was ist denn das – Entwickler und Fixierer?", will Pascal wissen.

Nadja geht in die Dunkelkammer und kommt mit zwei halb vollen Flaschen wieder. „Davon brauchen wir jede Menge", sagt sie und stellt die Flaschen auf die Dielen.

Pascal betrachtet die Etiketten auf den Flaschen. „Wie viel brauchen wir denn davon?"

Nadja überlegt kurz. „Vielleicht dreißig oder so?"

„Dann besorgen wir das Zeug eben!"

Nadja tippt sich an die Stirn. „Weißt du, wie teuer das ist? Da kostet eine Flasche allein schon zwanzig Mark!"

„Na, das ist doch ein Wort", sagt er. „Und wann wünscht die Dame die Lieferung?"

„Heute Abend", erwidert sie übertrieben freundlich.

„Okay. Gegen neun!"

Nadja ist froh, als er mit Biggi wieder verschwunden ist. Sie hockt sich auf die Dielen neben die beiden Flaschen. Für Pascal ist immer alles so einfach. Er schafft herbei, was gebraucht wird. Egal woher er die Sachen holt. Doch eine Idee kann man nicht einfach herbeischaffen. Die gibt's nicht in abgerissenen Kulturhäusern und auch nicht auf Fingerschnipsen. Die gibt es nur in ihrem Kopf. Und dazu muss es ganz leise sein. Absolut still.

Sie betrachtet die Flaschen. Irgendwas kommt ihr seltsam daran vor. Sie schraubt einen Verschluss ab und riecht daran. Schnaps. Von wegen Entwickler. Auch in der anderen ist Alkohol. Sie nimmt die beiden Flaschen und kippt sie im Klo aus.

Stille, überlegt sie. Ist es nicht das, was ihr Vater immer fotografiert hat? Diesen winzigen Moment, in dem die Dinge zur Ruhe kommen. Wie eine Welle, die aufgetürmt bis zu ihrem höchsten Punkt kurz verharrt, ehe sie mit aller Kraft in die Brandung donnert. Dieser Moment war es, den er in all seinen Fotos gesucht hat. Und der die Menschen wie ein Magnet anzog. All die Jahre.

Außer bei seiner letzten Ausstellung. Da hat er ihn nicht mehr gefunden. Als ob es nicht ihr Vater war, der da fotografiert hat. Vielleicht ist ihm da die Stille verloren gegangen? Die Stille im Kopf, ohne die man keinen klaren Gedanken fassen kann. Die man aber auch nicht wiederfindet, wenn man sich jeden Tag betrinkt.

37

Und plötzlich weiß Nadja, wonach sie sucht in den Hunderten von Negativen. Sie sucht ihren Vater, der sich all die Jahre hinter dieser Stille versteckt hat. Aber wenn sie weiß, wo er sich versteckt hat, vielleicht findet sie ihn dann wieder?

Mit einem Mal ist sie ganz aufgeregt.

Sie legt im Wohnzimmer große weiße Blätter auf die Dielen. Jedes Blatt wie ein sicheres Häuschen. In einem wohnt sein Humor, in einem anderen die Trauer, auch seine Neugier und vor allem sein Lachen finden ihren Platz. Das hat sie schon völlig vergessen, wie sehr ihr Vater lachen konnte.

Nach zwei Stunden hat sie auf jedes Blatt so viele Negative zum Abziehen gehäuft, dass sie wieder einige aussortieren muss. Sonst brauchen sie ja die ganze Straße zum Aufhängen. Als es leise an der Wohnungstür klopft, steht sie umzingelt von Negativen mitten im Wohnzimmer.

„Papa?" Sie rennt in den Flur und reißt die Wohnungstür auf. Erschrocken fährt ein Mann auf dem Treppenabsatz zusammen. Nadja murmelt eine Entschuldigung. Es ist der alte Fotograf. Stotternd bittet sie ihn herein. Trotz der Hitze trägt er einen Mantel und einen dunklen Anzug.

Als er von der Wohnzimmerschwelle aus die vielen Negative sieht, entfährt ihm ein tiefes Seufzen. Er kratzt sich an der stoppeligen Wange und legt seine Garderobe ab. Nadja hängt rasch alles in den Flur.

„Kanter", sagt er, als sie zurückkommt, und gibt ihr die Hand. „Ich habe mich ja noch gar nicht richtig vorgestellt." Dann zieht er auch noch seine schwarzen Lederschuhe aus und stellt sie an der Türschwelle ab. Unschlüssig schaut er sich im Wohnzimmer um. „Wo ist denn der Anfang?"

Nadja zeigt auf ein weißes Papier in der hinteren Zimmerecke. Papas Humor. Der alte Mann bewegt sich vorsichtig durch das Blätterlabyrinth und kniet sich dann auf die Dielen. Er zieht eine Brille aus seiner Westentasche und betrachtet die kleinen Negative. Nadja steht bangend auf der Türschwelle. Der Alte sagt kein Wort. Obwohl es ihm jedes Mal schwerer fällt, sich hinzuknien, betrachtet er aufmerksam jedes einzelne Negativ.

Nach der ersten Stunde ist Nadja auf der Schwelle zusammengesunken. Sie fühlt sich überflüssig. Weggetaucht in die Welt ihres Vaters arbeitet der alte Fotograf in absolutem Schweigen.

Als es draußen langsam dämmrig wird, schaltet sie das Licht ein. Da erst erhebt er sich stöhnend von den letzten Negativen und lässt sich schwer aufs Ledersofa sinken.

„Gut", sagt er. „Ich habe verstanden, was du willst."

Erleichtert zieht Nadja sich am Türrahmen hoch. Ihre Füße sind eingeschlafen. Sie hüpft auf der Stelle, damit das Stechen nachlässt.

Der Fotograf macht eine unwillige Handbewegung. „Lass doch mal das alberne Gehüpfe. In wie viel Tagen ist die Ausstellung, sagst du? In sechs?"

Nadja nickt.

„Und alles, was hier liegt, soll abgezogen werden?"

„Ja."

„Das ist eine Menge Arbeit, Mädel."

„Aber zu schaffen ist es?", fragt sie unsicher.

„Wenn du noch ein paar Hilfsarbeiter besorgst und wir eine anständige Dunkelkammer haben, vielleicht."

38

Es ist dieses vage *Vielleicht*, an das Nadja sich klammert. Jede Minute ist jetzt kostbar.

Biggi und Pascal haben tatsächlich dreißig große Flaschen Entwickler und Fixierer und jede Menge Fotopapier herbeigeschafft. Timms Vater hat von seinem Segelclub schwarze Bootsplanen besorgt, die sie vor die Fenster hängen und festnageln. So verwandeln sie die gesamte Wohnung in eine riesige Dunkelkammer. Und Nadja schleppt aus dem Keller stapelweise Entwicklerschalen hoch, die ihr Vater dort für schlechte Zeiten gehortet hat.

Als der alte Fotograf am nächsten Morgen erscheint, ist er erst einmal sprachlos. „Ihr scheint es ja wirklich ernst zu meinen", sagt er schließlich, nachdem er alles begutachtet hat.

Dann zieht er seinen Mantel aus und hängt den Hut an die Garderobe. Bedächtig krempelt er die Ärmel seines weißen Hemdes hoch und verteilt die Arbeiten.

Biggi soll auf dem Hof unten die Rahmen abwaschen und polieren. Doch sie mault.

„Komm, Biggi", tröstet Pascal sie, „draußen scheint wenigstens die Sonne!"

Dann schließt Herr Kanter die Wohnung von innen ab, damit niemand aus Versehen die Tür aufmacht und alles verdirbt. Drinnen leuchten jetzt nur noch die Fotolampen. Das Wohnzimmer steht voller Schalen mit Entwickler und Fixierer. Die Jungs treten ständig hinein, weil sie in dem roten Schummerlicht nichts sehen.

„Passt doch auf!", schimpft Nadja, die ihnen mit einem Wischlappen hinterherrennt.

„Lass mal", sagt der alte Fotograf nur. „Das wird schon."

Er bespricht mit ihr zuerst die Formate der Fotos und zeigt ihr, wie man mit dem Vergrößerungsapparat umgeht. Da bleibt keine Zeit sich aufzuregen. Und Pascal und Timm haben alle Hände voll damit zu tun, die belichteten Fotos durchs Entwicklerbad zu ziehen und zu fixieren.

Nach der ersten Stunde stehen beide nur noch barfuß in kurzen Unterhosen da, weil es unmöglich ist, beim Wässern der großen Fotos in der Dusche trocken zu bleiben. Außerdem drückt die Sommerhitze durch die schwarz verhängten Fenster. Die Wohnung gleicht jetzt eher einer Großwäscherei als einem Fotostudio. Überall spannen sich Wäscheleinen und sie müssen aufpassen, nicht ständig gegen die nassen Fotos zu stoßen.

„Das schaffen wir in zwei Tagen", sagt Pascal groß-spurig. „Machen wir eben durch." Er arbeitet wie am Fließband.

Doch nach der ersten durcharbeiteten Nacht wird auch er still. Manche der Fotos müssen fünf Mal ge-macht werden. Entweder passte die Belichtungszeit nicht oder sie haben beim Wasserbad nicht aufgepasst. Nicht den kleinsten Wasserflecken lässt der alte Fotograf ih-nen durchgehen. Er ist schlimmer als Papa, denkt Nadja.

Irgendwann sieht sie nur noch Schwarz-Weiß und ihr wird schwindelig vom Geruch des Fixierers, der aus den Schalen entweicht. Ist schon Morgen oder noch Nacht? Sie kann die Augen kaum noch offen halten. Irgendwann haben sie die Zeit im Fixierer ertränkt.

Doch der alte Mann arbeitet unermüdlich. Nadja darf ihm keine Sekunde von der Seite weichen. Immer wieder fragt er nach, wo manche der Fotos entstanden sind, um das richtige Licht zu finden. Denn ein wenig mehr Schatten verwandelt den schönsten Sommertag in eine graue Stadttristesse.

Und so erzählt Nadja ihm von den Nachmittagen, die sie auf heißen Hausdächern gelegen, hinter Schornstei-nen gekauert oder sich die Finger an der vereisten Feu-erleiter einer alten Kofferfabrik abgefroren haben. Als sie das Gefühl hat, gleich ohnmächtig neben dem Ver-größerungsapparat niederzusinken, klopft es an der Wohnungstür.

Erleichtert flüchtet sie in den Flur und schließt alle

Zimmertüren hinter sich, ehe sie durch einen kleinen Spalt aus der Wohnung schaut.

„Wie siehst du denn aus?", sagt Biggi erschrocken. Sie schleppt einen großen Suppentopf herein und fünf Flaschen Cola. Nadja macht die Tür hinter ihr schnell wieder zu. Nun stehen sie beide im Dunkeln.

„Rahmen abwaschen ist doch keine so schlechte Arbeit", gibt Biggi nun etwas kleinlaut zu.

Pascal ruft in den Flur: „Alles okay da draußen?"

Nadja trägt den schweren Topf bis zur Wohnzimmerschwelle und öffnet dann die Tür. Das Licht der Fotolampen reicht gerade bis zum Topf.

Biggi zieht aus ihrer Hosentasche fünf Löffel. „Schönen Gruß von Frau Manke", sagt sie, als alle müde die Bohnensuppe löffeln.

Der Fotograf riecht erst an der Cola, bevor er trinkt. Dann schüttelt er sich lachend. „Da bleibt einem ja die Zunge am Gaumen kleben. Weiter geht's, Leute!"

Biggi will sich mit dem leeren Topf wieder davonmachen. Der Fotograf schickt sie aber zu den Jungs. „Ich glaube, die brauchen eine kleine Ablösung. Sie fangen langsam an zu schlampern."

Pascal überlässt Biggi bereitwillig seinen Platz am Wasserbad in der Dusche. „Meine Arme sind schon völlig tot vom Wäschewaschen", klagt er.

Trotzdem sieht Nadja ihn noch mit einem Lappen um die Schalen schleichen, wo er den verschütteten Entwickler aufwischt. Da kann er nämlich beobachten, wie

auf dem weißen Fotopapier langsam das Bild herauf-
dämmert. Nadja hätte nie gedacht, dass ihn das interessiert. Jetzt will er sogar von ihr wissen, was Dehnungs-
schatten sind. Nadja hat aber keine Kraft mehr für
Erklärungen.

Sie sind nun schon den zweiten Tag fast ohne Pause
auf den Beinen. Irgendwann muss der Alte mal müde
werden, denkt sie. Doch er wird nicht müde. Dafür
machen Nadja und ihre Freunde in der zweiten Nacht
endgültig schlapp.

Da scheucht er sie alle zusammen in Nadjas Bett, wo
sie augenblicklich einschlafen. Nadja liegt in Timms
Armbeuge wie in einem stillen Hafen. Viel zu bald wird
sie daraus wieder vertrieben. Der Fotograf klopft gegen
die Hochbettleiter und weiter geht's.

Jetzt scheint wirklich Nacht draußen zu sein. Herr
Kanter hat ein wenig die Fenster geöffnet und laue Frische weht unter den Planen in die Wohnung. Er ist ein
ganzes Stück vorangekommen, während sie geschlafen
haben. Es sind nur noch wenige Negative übrig, die vergrößert werden müssen.

Nadja schaut durch den Spalt der Fensterplane kurz
zur Kneipe hinüber. Aber es ist mehr eine Gewohnheit.
Dann schließt sie das Fenster und macht sich wieder an
die Arbeit. Doch durch den kurzen Schlaf hat sie
irgendwie den Überblick verloren. Die bereits fertigen
Fotos liegen unter großen Pappen, damit sie sich in der
Hitze nicht wellen. Andere schwimmen noch verloren

im Wasserbad. Gehören die nun zum Müll oder müssen sie noch aufgehängt werden?

Als der alte Fotograf endlich den Vergrößerer ausschaltet, gibt er Nadja die Hand. „Ich glaube, ich brauche eine kleine Pause", sagt er.

Nadja möchte ihn bitten, sie jetzt noch nicht allein zu lassen. Doch sie spürt, er hat schon mehr getan, als sie zu träumen wagte. Müde zieht er im Flur seinen Mantel an und setzt seinen Hut auf. Dann geht er bedächtig die Treppe hinunter. Nadja lauscht seinem Schritt.

Pascal und Timm führen einen Freudentanz zwischen den Wasserschalen auf. Biggi zieht die schwarzen Planen von den Fenstern und macht die Flügel weit auf. Ein frischer Wind weht von den Linden herein. Nadja atmet tief durch. Am liebsten würde sie jetzt Baden fahren. Aber sie müssen erst das Chaos in der Wohnung beseitigen.

„Brauchst du die noch?", fragt Pascal und zeigt auf einen Stapel postkartengroßer Fotos, die sie am Anfang probeweise gemacht hatten.

Nadja schüttelt den Kopf. Pascal sammelt den Stapel sorgfältig in eine Tüte.

„Ist doch alles Müll", sagt sie.

Pascal grinst. „Lass mich mal machen."

Mit der Tüte unterm Arm verlässt er gähnend die Wohnung. Auch Biggi verschwindet leise. Timm beginnt wortlos, die Entwickler- und Fixiererreste ins Klo zu kippen. Dann holt er einen Eimer und einen Lappen und wischt das Wohnzimmer. Nadja nimmt die letzten Fotos von der Leine. Sie haben wirklich alle Formate. Von metergroßen Hochglanzbildern bis hin zu postkartenkleinen.

Wenn Nadja nur wüsste, wie sie das Ganze aufhängen sollen. Denn jetzt, wo die Fotos sie wie fremde Gesichter anstarren, kommt es ihr unmöglich vor, sie alle in eine verständliche Reihenfolge zu bringen. Einfach nur ein paar Bilder an die Wand hängen, das kann sie ihrem Vater nicht antun.

39

Seit Stunden versucht Nadja, die Fotos sauber in die Rahmen zu bekommen. Doch ihre schwitzenden Hände hinterlassen jedes Mal Schlieren hinterm Glas.

Verzweifelt hockt sie zwischen all den Fotos, die in der ganzen Wohnung ausgebreitet liegen. Ihre Freunde kommen erst am Abend wieder.

Als es zaghaft an die Wohnungstür klopft, erschrickt sie. Es gab mal ein Mädchen in ihrer Klasse, dessen Vater verschwand bei seinen Sauftouren manchmal eine ganze Woche. Wie lange ist ihr Papa eigentlich schon weg? Drei Tage? Oder vier?

Langsam öffnet Nadja die Tür. Da steht Frau Manke mit weißen Handschuhen und einem Berg Geschirrtüchern unterm Arm. Sie schaut über Nadjas Schulter in den Flur, wo die Rahmen stehen. „Da komme ich wohl gerade richtig", sagt sie.

Mit wenigen Handgriffen hat sie einen Rahmen geöffnet, das Glas von beiden Seiten poliert und ein passendes Foto hineinlegt. Zufrieden lehnt sie es an die Wand. Ohne Fingerschlieren. Dann macht sie sich an den nächsten Rahmen. Verblüfft setzt sich Nadja auf den Boden und schaut ihr zu.

Im Gegensatz zu Herrn Kanter gehört ihre alte Nachbarin aber keineswegs zu der schweigsamen Sorte. „Die gefallen mir am besten", plaudert sie und zeigt auf drei von Nadjas *Nachtschläfern*.

Nadja hat gar nicht mitbekommen, dass Herr Kanter sie auch vergrößert hat.

„Ich dachte, dein Vater fotografiert nicht mehr", sagt Frau Manke. „Die sind doch neu. Oder?"

„Die sind von mir", erklärt Nadja. „Mein Vater ist nicht mehr da. Können Sie sich das vorstellen? Er ist einfach weggegangen."

Frau Manke schaut einen Moment auf ihre weißen Handschuhe. „Ich weiß", sagt sie dann. „Aber vielleicht überlegt er sich das noch mal. Er verpasst hier jedenfalls eine ganze Menge. Findest du nicht auch?"

Nadja muss über den leisen Trost lächeln.

Frau Manke hat ihr halbes Leben Bilder toter Maler im Museum bewacht. Und jetzt hilft sie einem weggelaufenen Fotografen. Aber wenn sie eines beim stundenlangen Aufpassen gelernt hat, so ist es Geduld. Am Abend haben sie mindestens achtzig Fotos gerahmt.

Nadja hat keine Ahnung, wo sie die alle hinhängen sollen. Doch es ist ein tolles Gefühl, die fertigen Fotos zu betrachten.

Als Frau Manke gegangen ist, steckt Nadja den Stecker vom Telefon wieder rein. Nun kann mit der Ausstellung ja nichts mehr schiefgehen. Sie hat den Stecker noch in der Hand, da klingelt es schon.

„Kind, endlich", sagt ihre Mutter erleichtert. „Ist was passiert? Bei euch geht seit Tagen niemand ans Telefon."

Nadja kaut an ihrer Unterlippe. „Alles in Ordnung", nuschelt sie in den Hörer. Ihr Herz klopft wild.

„Ich habe schon die Störungsstelle angerufen. Die meinten, vielleicht ist euer Telefon kaputt."

„Nee, alles okay", sagt Nadja. Dann lauschen beide in den Hörer.

„Ist wirklich alles in Ordnung?", fragt ihre Mutter noch einmal. „Wann fahrt ihr denn nun zu Grigori? Gib mir doch bitte mal deinen Vater."

„Ich muss jetzt los. Hab keine Zeit", sagt Nadja und legt auf. Obwohl sie froh ist, dass ihre Mutter sich Sorgen macht, will sie jetzt nicht darüber nachdenken. Noch nicht.

Als die Glocken der nahen Kirche zum Feierabend läuten, kommt Pascal mit einer riesigen Bohrmaschine angerückt. Hinter ihm schleppt Timm einen schweren Rucksack die Treppe hoch. Die Jungs staunen über die fertig gerahmten Fotos.

„Na, da können wir ja gleich anfangen", sagt Pascal und klopft auf seine Bohrmaschine.

Timm kippt den Inhalt seines Rucksacks im Flur aus.

Nägel, Schrauben und Dübel in allen Größen kullern über die Dielen.

„Habt ihr mal wieder eine Fabrik leer geräumt?", fragt Nadja grinsend und rührt mit ihrem nackten Fuß in dem Schraubenhaufen.

Da kommt Biggi mit vier tropfenden Eiswaffeln zur Tür hereingerannt.

„Schnell!", japst sie und drückt jedem eine in die Hand.

Schweigend lecken sie ihr Eis und betrachten dabei die gerahmten Fotos.

„Dein Vater hat echt tolle Sachen gemacht", sagt Pascal und zeigt auf das Foto einer Kindergruppe, die gebannt auf etwas schaut, was außerhalb des Betrachters liegt. „Was die Zwerge da auch gesehen haben, es wird für immer ihr Geheimnis bleiben."

Timm boxt ihm gegen die Schulter. „Ich wusste gar nicht, dass du auch poetische Seiten hast!"

Pascal wischt sich die Eisfinger an seiner Jeans ab und greift nach der Bohrmaschine. „Also los, fangen wir an. Welches Bild zuerst?"

Nadja schaut betreten zu Boden.

„Was ist denn nun wieder?" Pascal stöhnt.

„Ich weiß nicht, welches."

„Ich denke, unsere Ausstellung heißt *Die Reise ans Meer*?"

„Aber wir haben doch gar kein Meer. Nicht mal ein einziges Foto davon."

Pascal schaut Nadja zornig an. „Du meinst, wir haben uns völlig umsonst die Nächte um die Ohren geschlagen?" Er wirft die Bohrmaschine wütend auf den Schraubenhaufen. Nadja steht ohnmächtig daneben.

„Hey, Nadja", sagt Timm. „Was ist denn auf einmal los?"

Sie weiß es auch nicht. Vorhin ist sie noch so froh gewesen. Sie haben es fast geschafft. Doch plötzlich hat sie keine Kraft mehr. Nicht einmal für einen so winzigen Gedanken, wohin sie das erste Bild hängen sollen. Dabei machen ihre Freunde das alles nur für sie.

Timm nimmt das erste Bild hoch und trägt es ins Wohnzimmer hinüber.

„Wo bleibst du denn?", ruft er zu Pascal. Der hebt murrend die Bohrmaschine wieder auf und folgt ihm.

Biggi zieht Nadja aus der Wohnung. „Lass die Jungs mal machen", sagt sie. „Die schaffen das schon."

Sie setzen sich im Hof unten auf eine kleine Bank. Unter den Müllcontainern liegen noch immer verkohlte Fotoreste.

Nadja seufzt. „Hätte ich sie nicht verbrannt, wäre alles nicht so schlimm gekommen."

„Blödsinn." Biggi schaut Nadja von der Seite an. „Dein Vater kann froh sein, dass du so lange zu ihm gehalten hast."

„Aber ..."

„Nix aber. Jeder andere hätte schon viel, viel früher schlappgemacht."

„Meinst du?"

Biggi meint gar nichts mehr. Sie legt Nadja einfach ihren Arm um die Schulter und so sitzen sie da wie früher, als sie sich noch alles erzählt haben. In den langen Nächten, in denen sie mit ihren Eltern auf der Datsche grillten. Oder in den Schulpausen und an der Bushaltestelle. Stundenlang haben sie ihre Sorgen beredet, so lange, bis sie weg waren. Vielleicht hat Nadja irgendwann aufgehört mit Biggi zu reden, weil sie nicht mehr daran glaubte, dass die Sorgen irgendwann weg sind.

„Nadja, du musst jetzt mal kommen!", ruft Timm aus dem Küchenfenster.

Nadja läuft in die Wohnung hoch. Die Jungs haben das ganze Wohnzimmer voller Bilder gehängt und den Flur auch. Doch es sind noch jede Menge übrig.

„Im Treppenhaus ist noch genug Platz", meint Biggi.

Nadja will schon protestieren, weil sie an den Hausbesitzer denkt. Dann schüttelt sie aber den Kopf. Sie müssen eh ausziehen, soll er sich eben aufregen.

Als Pascal anfängt, im Treppenhaus Löcher zu bohren, kommen ein paar Leute aus ihren Wohnungen. Zuerst beschweren sie sich über den Lärm, doch als sie erfahren, dass das eine Ausstellung von Nadjas Vater werden soll, bieten sogar einige ihre Hilfe an. Ein Mann holt eine Leiter aus seiner Wohnung. Ein anderer hält sie fest, damit Pascal beim Bohren nicht herabstürzt. Bald ist das halbe Haus auf den Beinen, obwohl es schon langsam Nacht wird.

Aber auch das Treppenhaus hängt bald voller Bilder. Da machen sie draußen im Hinterhof weiter. Da gibt es noch jede Menge freie Wände, und als auch dieser Platz nicht reicht, muss die Vorderfront des Hauses dafür herhalten. Biggi und Pascal schleppen die Bilder nach draußen auf den Gehweg. Neugierig bleiben einige Touristen stehen, als sie die ersten ans Haus hängen.

„Und wenn die nun jemand klaut über Nacht?", fragt Nadja bangend.

Da kommt Frau Manke mit einem Küchenstuhl durch den Torbogen. „Hab ich eben was von Klauen gehört?" Sie setzt sich neben den Eingang. „Solange ich hier bin, wird niemand etwas klauen, Mädchen."

Nadja könnte heulen vor Glück oder Angst oder beidem zugleich. Als sie in der Wohnung die Fotos entwickelt haben, hat die Dunkelheit noch ihre schützende Hand über sie gehalten. Doch nun kommen die ersten Leute und sie fühlt sich, als ob sie auf einmal nackt dastände. Langsam geht sie ins Haus zurück. Die neugierigen Blicke der anderen bleiben vorerst draußen.

40

Timm sitzt auf den Stufen vor ihrer Wohnung, als Nadja müde die Treppe hinaufschleicht. Von den Wänden grüßen sie jetzt die Bilder und wollen erzählen. Doch sie kann nicht einmal mehr den Kopf heben. Sie möchte nur noch ins Bett. Timm läuft ihr ein paar Stufen entgegen und ergreift ihre Hand.

„Ich will schlafen!", stöhnt sie.

„Kannst du ja gleich. Aber nicht hier."

„Warum denn nicht?"

Timm grinst. „Großes Seefahrergeheimnis."

„Und wo soll ich dann schlafen?"

„Im Himmel deiner Träume!"

Nadja zeigt ihm einen Vogel. Doch sie ist zu müde für Diskussionen und folgt ihm die Treppe hinauf. Auf dem Dach empfängt sie ein Meer von Sternen, eingewoben in eine laue Sommernacht. Barfuß laufen sie über die warme Dachpappe. Obwohl es schon dunkel ist, sieht es Nadja gleich. Timms Segelboot ist verschwunden.

Er zeigt nach oben. „Ist wohl davongesegelt."

Gut geschützt zwischen einer Brandmauer und zwei Schornsteinen hat er ein Nachtlager aus Luftmatratzen, Decken und Kissen gebaut. Sogar Abendessen hat er in einem Korb hochgeschleppt. Doch Nadja ist selbst zum Essen zu müde. Sie streckt sich auf eine Matratze und schaut in den funkelnden Himmel.

„Was meinst du, wo mein Vater jetzt ist?"

Timm legt sich neben sie. „Ich weiß nicht."

„Aber irgendwo muss er doch stecken!"

Nachdenklich betrachtet er die Sterne. „Denkst du, er sitzt vor irgendeinem Bahnhof und bettelt?"

Das kann sich Nadja nicht vorstellen. Ihr Vater hat sich noch nie helfen lassen, geschweige denn um Hilfe gebeten. Entweder er bekommt es allein hin oder eben nicht.

„Hast du Angst wegen morgen?", fragt Timm.

Ein kühler Wind weht übers Dach. Nadja wickelt sich fröstelnd in die Decke. Sie kann nicht mehr darüber nachdenken, ob sie Angst hat oder nicht, denn sie ist eingeschlafen.

41

Ein gleißend blauer Himmel weckt sie. Die Sonne brennt ihr in die Augen. Erschrocken stößt sie mit den Füßen die Decke fort. Heute Nachmittag ist Ausstellungseröffnung und sie verschläft!

Rasch läuft sie übers Dach. Die Pappe knackt laut. Als sie die Bodenleiter hinabsteigt, schlägt ihr frischer Farbgeruch entgegen. Von irgendwoher aus dem Haus klingt Lachen, dann ist es wieder still.

Nadja springt die Treppe hinab und hält verwundert inne. An der Wand kommt ihr eine blaue Welle entgegen. Bis an die Decke hoch aufgetürmt mit weißen Gischtkämmen windet sie sich aus den Tiefen des Treppenhauses empor. Nadja folgt dem rollenden Wegweiser. Die Bilder, die ihr gestern noch einsam und verloren vorgekommen waren, sind nun durch die Welle auf seltsame Art verbunden. Und außerdem macht die hellblaue Farbe mit der weißen Gischt das finstere Treppenhaus gleich ein wenig freundlicher.

Vor ihrer Wohnung bleibt sie stehen. Die Tür ist weit offen, denn die Welle schwappt auf beiden Seiten in den Flur hinein. Zögernd betritt Nadja die Wohnung, die keine Wohnung mehr ist.

Sie läuft mit ihren nackten Füßen in weichem weißen Sand, in dem sogar kleine Muscheln liegen. Die Tür zur Küche steht auch offen, ist aber mit einer langen roten Samtkordel abgesperrt. Auf dem Küchentisch stehen drei große gerahmte Fotos – Nadja, ihr Vater und ihr Großvater. Darunter an der Tischkante festgeklebt hängen ihre Lebensläufe. Bei ihr steht: Schülerin und Fotografin.

Wie verzaubert geht sie weiter. Die Tür zum Schlafzimmer ist verschlossen, ebenso ihr Zimmer. An den Türen kleben Schilder: *Private!*

Als sie an der offenen Wohnzimmertür steht, muss sie schlucken. Auch hier ist der Boden mit weißem Sand bedeckt. Die Wände sind ein einziges Meer voll tanzender Wellen. Dazwischen schwimmen Fische, Muscheln und Seesterne. Am Horizont blinkt matt ein Leuchtturm. Und ganz winzig klein, für den flüchtigen Betrachter kaum sichtbar, schaukelt versteckt in einem Wellenkamm eine Sonne.

Aber das Allerschönste ist das Segelboot mit seinem weißen Segel, das mitten im Zimmer steht. Still und allein singt es für die Menschen auf den Fotos ringsum ein Lied, das nur Nadja hören kann. Land in Sicht. Stumm laufen ihr Tränen übers Gesicht.

Jemand legt von hinten behutsam eine Hand auf ihre Schulter. „Wenn wir nicht ans Meer fahren, muss das Meer eben zu uns kommen."

Nadja wischt sich übers Gesicht und versucht zu lächeln.

Timm ist überall mit blauen Farbspritzern übersät. „Komm", sagt er. „Ich zeige dir den Rest."

Er geht mit ihr die Haustreppe hinunter. Unten im Flur hängen die verschwundenen Fotos ihres Vaters, die ihm damals den Ärger mit dem Hauseigentümer eingebracht hatten.

„Woher …?", will sie wissen.

Er legt einen Finger über ihren Mund und öffnet die Haustür. Als Nadja plötzlich all die Leute sieht, will sie sofort wieder zurück. Aber Timm hält sie fest. Einen Moment lang spürt sie seinen warmen Atem in ihrem Nacken und sie beruhigt sich wieder. Noch ist die Ausstellung nicht eröffnet. Ihr bleibt noch ein wenig Zeit.

Frau Manke sitzt aufrecht auf ihrem Stuhl vorm Haus und zwinkert Nadja aufmunternd zu. Neben ihr hat Pascal sich hinter einem kleinen Tisch mit einer Kasse eingerichtet. Er strahlt Nadja an. „Na, gefällt es dir?"

Über den Gehweg ist ein riesiges Transparent gespannt, auf dem *Ausstellungseröffnung 17:00 Uhr* steht.

„Aber das Beste hast du noch gar nicht gesehen!" Pascal springt auf und führt Nadja nach hinten in den Hof.

Da steht Biggi neben zwei großen Tischen, auf denen Postkarten von all den Fotos liegen, die sie aufgehängt haben.

„Was meinst du", fragt Biggi stolz, „sind zwei Mark für eine Karte okay?"

Nadja ist fassungslos. „Wo habt ihr die denn her?"

„Aus dem *Müll*", sagt Biggi. „Mein Vater arbeitet doch jetzt in einem Übersetzerbüro und die haben einen Kopierer. Ich muss nur das Fotopapier abarbeiten."

Nadja weiß nicht, was sie sagen soll. Während sie in aller Seelenruhe auf dem Dach schlief, haben ihre Freunde der Ausstellung den letzten Schliff gegeben. Wie soll sie das je wiedergutmachen?

42

Und dann geht es los. Zuerst kommt ein Reporter von der *Berliner Zeitung*. Trotz ihrer neuen Jeans und Turnschuhe würde Nadja sich am liebsten verkriechen. Sie steht mit dem Reporter, der ein Aufnahmegerät unterm Arm trägt, vor dem Haus. „Ich möchte gern ein Interview mit deinem Vater machen", sagt er.

„Mein Vater ...", stottert sie, „der ist gerade unterwegs."

Pascal springt von seiner Kasse auf. „Sie müssen sich die Ausstellung doch erst einmal ansehen!"

Der Reporter nickt und will das Haus betreten, doch Pascal hält ihn zurück. „Aber erst Eintritt zahlen!"

Irritiert zeigt er seinen Presseausweis.

Pascal ist unerbittlich. „Fünf Mark für die Kunst! Oder ist sie Ihnen das nicht wert?"

Nervös sucht der Mann in seiner Jackentasche nach einem Geldstück, dann lässt Pascal ihn endlich durch. Ehe Nadja sich den Kopf darüber zerbricht, wie sie den

Reporter weiter hinhalten soll, kommen die Besucher plötzlich in Scharen. Ein Reisebus hält vor dem Haus und sprudelt eine Gruppe schwatzender Amerikaner auf den Gehweg. Ganz am Schluss springt Biggis Mutter heraus und winkt Nadja kurz zu. Die Amerikaner zahlen widerspruchslos den Eintritt und lassen sich von Biggis Mutter herumführen.

Es ist ein ständiges Kommen und Gehen. Nadja lässt sich zwischen den Menschen treiben.

„Sweetie", schwärmt eine alte Amerikanerin und umarmt Nadja, „eine tolle Familie! Alle photographers!"

Biggi wird ihre Postkarten in Windeseile los. Niemandem scheint es aufgefallen zu sein, dass Nadjas Vater gar keine Eröffnungsrede gehalten hat. Es hat einfach angefangen, auch ohne ihn. Die Amerikaner haben sie gerettet.

„Hallo, Nadja", ruft jemand im Stimmengewirr. Mit einem Schlag erwacht Nadja aus ihrer sanften Träumerei und dreht sich erschrocken um.

Die Frau vom Jugendamt strahlt sie an. „Das ist ja eine fantastische Ausstellung!", schwärmt sie. „Wo ist denn der Meister dieser Wunderwerke? Ich kann ihn nirgendwo finden."

Für einen Moment glaubt Nadja, ihr Herz bleibt stehen. Doch dann lächelt sie einfach nur und die Frau lächelt zurück. So leicht ist das, denkt sie. Erwachsene glauben, was sie glauben wollen.

„Ich habe ja gleich zu deiner Mutter gesagt, sie soll

sich keine Sorgen machen, wenn bei euch niemand ans Telefon geht. Dein Vater hat doch mit seiner neuen Ausstellung zu tun."

Der ganze Hinterhof dreht sich auf einmal um Nadja. Dass ihr Vater eine Ausstellung macht, glaubt ihre Mutter doch nie! Ein Wunder, dass sie noch nicht aufgekreuzt ist.

„Einen schönen Abend noch!", ruft die Frau, ehe sie wieder in der Menschenmenge verschwindet.

Nadja lehnt sich an die Hauswand und drückt ihre Stirn gegen den rauen Putz. Hoffentlich kommt ihre Mutter nicht her! Dann kann sie gleich ihre Koffer packen und alles war umsonst.

Auf einmal stürzt Timm aus dem Hausflur in den Hof und winkt aufgeregt. „Vor dem Haus ist Polizei! Komm mal!"

Unendlich langsam bewegt Nadja sich von der Hauswand fort und stolpert durch den Torbogen nach vorn. Auf dem Gehweg sieht sie einen Polizisten stehen, der mit dem Hauseigentümer diskutiert. „Wenn Sie hier eine Veranstaltung auf öffentlichem Straßenland abhalten, muss die angemeldet werden."

Der Hauseigentümer schimpft empört: „Ich veranstalte hier überhaupt nichts!"

Nadja bleibt erschrocken stehen. Der hat ihr gerade noch gefehlt.

„Aber die Bilder hängen an Ihrem Haus!"

Ihr wird mulmig zumute. Ein Stück weiter sitzt Frau

Manke auf ihrem Stuhl und beobachtet das Ganze. Als der Polizist nach einem der Bilder greifen will, herrscht sie ihn an. „Geklaut wird nicht!"

Plötzlich hört Nadja die Frau des Hauseigentümers von irgendwoher rufen. „Herbert, schau doch mal! Das bin doch ich!" Sie drängelt sich durch die Leute und zieht ihren Mann aufgeregt vor eines der Bilder, die Nadjas Opa kurz nach dem Krieg aufgenommen hat.

Vorsichtig nimmt sie es von der Hauswand herunter und zeigt es zuerst Frau Manke und dann dem Polizisten. „Ich habe hier gewohnt in dem Haus, wissen Sie? Bis '61 mit meiner Mutter. Wir mussten durch den Mauerbau alles hierlassen, auch die Fotos!"

Aber den Polizisten interessiert kein Mauerbau. Ihn interessiert nur, dass hier etwas Verbotenes stattfindet.

Da entdeckt die Frau Nadja neben der Tür. „Hallo, Kind!", ruft sie und winkt Nadja herbei. „Bist du nicht die Tochter von dem Fotografen? Du hast uns doch mal die Miete gebracht."

Als der Polizist Nadja erblickt, starrt er sie finster an. „Ach", sagt er. „Kennen wir uns nicht?"

Ungern erinnert Nadja sich an ihren nächtlichen Besuch auf der Wache.

„Kann mir dein Vater nicht einen Abzug hiervon machen?", fragt die Frau aufgeregt.

Nadja nickt hilflos.

„Sie können aber keine unerlaubte ...", fängt der Polizist wieder an.

Die Frau unterbricht ihn mit einer unwirschen Handbewegung. „Was heißt hier unerlaubt? Die Fotos hängen an *meinem* Haus. Und da kann ich mir wohl hinhängen, was ich will."

„Aber die Leute!" Der Polizist wird rot vor Wut.

„Was gehen mich die Leute an! Lassen Sie sie doch hier spazieren gehen." Die Frau wendet sich wieder Nadja zu und will wissen, ob sie noch andere Fotos von dem Haus hat.

Wütend geht der Polizist davon und brabbelt vor sich hin. „Wessis und Künstler!"

Die Hauseigentümerin hat Nadja jetzt in Beschlag genommen. Nadja geht mit ihr in den Hof, wo sie ihr Foto erst mal in Postkartengröße kaufen kann. „Bestellungen dann bitte an der Kasse!", sagt Nadja erschöpft und schafft es endlich, sich wieder aus dem Staub zu machen.

Sie läuft noch einmal nach vorn, um zu schauen, ob der Polizist wirklich verschwunden ist. Pascal grinst ihr von der Kasse aus zu.

Langsam ebbt der größte Besucheransturm ab. Es wird allmählich dunkel.

Frau Manke holt aus ihrer Wohnung ein Bündel weißer Kerzen und stellt vor jedem Foto an der Hauswand eine auf.

Timm gibt Entwarnung. Die Frau vom Jugendamt ist gegangen, ebenso die Hauseigentümer. Der Hof leert sich. Wer jetzt noch kommt, ist kein Tagestourist.

Pascal baut langsam seine Kasse ab. Triumphierend klimpert er mit dem vollen Schuhkarton.

Alle waren sie da. Timms Eltern und Pascals Vater. Selbst der Wirt von gegenüber hat vorbeigeschaut und eine Runde Cola spendiert. Und im größten Ansturm haben Silke und Robert als Galerieführer ausgeholfen. Es ist plötzlich egal gewesen, ob sie Ahnung von Fotografie hatten oder nicht. Alle Leute redeten begeistert über die Bilder, besonders die Amerikaner. Für sie war der morbide Charme von Ostberlin wie der Ausflug in eine exotische Welt.

Nadja konnte sich einfach treiben lassen zwischen den Besuchern. Einen hat sie allerdings vergeblich unter all den Gesichtern gesucht. Jetzt kommt er langsam den Gehweg entlang in seinem langen schwarzen Mantel und dem Hut auf dem Kopf. Die Daumen hinter die Hosenträger gestemmt betrachtet der alte Fotograf zufrieden die Galerie an der Hausfassade.

„Wie ist es denn gelaufen?", fragt er Nadja.

„Ich glaube, ganz gut."

„Nun untertreib mal nicht. Es war einfach super!", sagt Timm, der gerade aus dem Hof kommt. „Und für Sie gibt es natürlich eine Sonderführung." Er macht eine Verbeugung und begleitet den Fotografen durchs Haus.

Frau Manke schließt sich den beiden an. Sie muss sich auch mal die Beine vertreten. Nadja bleibt allein draußen und schaut in das sanfte Flackern der Kerzen.

Eine unendliche Ruhe breitet sich in ihr aus. Sie hat es geschafft. Sie hat es wirklich geschafft, mit ihren Freunden eine Ausstellung auf die Beine zu stellen! In ihre stille Freude mischt sich aber auch Trauer, denn ihre Tage in Berlin sind nun gezählt.

Und da spürt sie ihn plötzlich, wie eine Welle, die lang am Ufer ausläuft, ehe das Meer sie wieder zurücknimmt. Sie wagt nicht, sich umzudrehen, denn vielleicht hat sie sich doch getäuscht. Die Reise ans Meer ist längst vorbei. Dann hält sie es aber nicht länger aus und wagt einen Blick über ihre Schulter. Er steht auf der anderen Straßenseite im Schatten einer Linde und schaut still zum Haus herüber.

Nadja wartet. Ihre Knie beginnen zu zittern. Wenn sie nur wüsste, was sie tun soll. Denn von allein wird er nicht herüberkommen. Langsam geht sie über die Straße. Jeder Schritt kommt ihr vor wie ein Waten in nassem Ufersand. Als sie vor ihrem Vater steht, zittert sie am ganzen Körper.

Übernächtigt und verlegen schaut er sie an. Irgendetwas ist mit ihm passiert, das spürt sie gleich. Und das liegt nicht nur an seiner unheimlichen Nüchternheit. Er hält einen kleinen Koffer in der Hand, den sie noch nie gesehen hat. Sie versucht ihre Angst fortzuatmen, doch der fremde Koffer besteht auf seiner Existenz. Will ihr Vater ihr ein letztes Lebewohl sagen?

Er nimmt sie an die Hand und geht mit ihr langsam über die Straße zurück zum Haus. Es ist der längste

Weg, den Nadja jemals gegangen ist. Was wird er sagen, wenn er die Ausstellung sieht?

Erst mal sagt er gar nichts. Er betrachtet unendlich lang jedes einzelne Foto an der Fassade des Hauses, ohne ihre Hand loszulassen, die klein und schwitzig in seiner liegt. Und da ist er plötzlich wieder, der Vater, den Nadja all die Jahre kannte, der in seinen Bildern lebte wie die Bilder in ihm. Und der immer bei ihr war.

Als sie schließlich ins Haus gehen wollen, tritt der alte Fotograf heraus. Er hat seinen Rundgang beendet. Einen Augenblick lang schaut er Nadjas Vater überrascht an, dann zieht er vor ihm den Hut. „Du hast eine wunderbare Ausstellung, Robert."

Ihr Vater schaut verlegen zur Seite.

„Und eine wunderbare Tochter."

„Ich weiß, Richard", erwidert Nadjas Vater leise.

Dann geht er mit Nadja ins Haus. Erschrocken schaut er die Treppe hinauf, wo sich auf der blauen Welle Bild um Bild emporwindet. Er sagt kein Wort. Er schämt sich. Stockwerk für Stockwerk steigt Nadja mit ihm hoch. Und obwohl er die Fotos selbst gemacht hat, betrachtet er sie wie Fremde.

Im Wohnzimmer entfährt ihm dann ein leises Stöhnen, als er das kleine Segelboot sieht, das still auf dem Trockenen segelt.

„Es tut mir so leid", flüstert er und drückt Nadja an sich. „Ich dachte, du ziehst nach Hamburg, wenn ich fort bin."

„Ach, Papa. Was soll ich denn in Hamburg?"

Da klopft hinter ihnen jemand an die Tür. Es ist doch offen, denkt Nadja und dreht sich um. Verlegen steht ihre Mutter an der Schwelle und dreht den Autoschlüssel zwischen den Fingern. Ihre Stimme klingt brüchig, als sie sagt: „Man erzählt in Hamburg, hier würde heute eine Thamm-Ausstellung stattfinden."

In dem Moment stürzt Pascal mit einer Plastetüte klimpernder Münzen in den Flur. „Mensch, Nadja!", ruft er. „Wir haben tausend Mark eingenommen!"

Nadja entwindet sich den Armen ihres Vaters und zieht Pascal rasch aus der Wohnung. „Bloß weg hier!", zischt sie ihm auf der Treppe zu. Sie laufen nach unten in den Hof, wo Biggi und Timm auf den leeren Tischen sitzen. Nicht eine einzige Postkarte ist übrig geblieben. Und sie haben noch jede Menge Nachbestellungen.

Pascal überreicht Nadja stolz die Tüte. „Mensch, tausend Mark! Was stellst du jetzt damit an?"

„Ich weiß nicht", sagt Nadja. Es ist ihr auch egal. Sie kann nichts mehr tun. Vielleicht hat sie auch schon zu viel getan.

„Gehst du nun nach Hamburg?", fragt Timm.

Nadja sagt nichts. Vielleicht nimmt ihre Mutter sie ja gleich im Auto mit. Papa wird ihr bestimmt erzählen, dass sie die Ausstellung allein mit ihren Freunden auf die Beine gestellt hat. Dann weiß sie doch, dass er überhaupt nichts mehr hinbekommt. Und dass er ein paar Tage weg war, wird sie auch erfahren.

„Egal", sagt Pascal und drückt Nadja die Plastetüte in die Hand. „War trotzdem eine super Aktion."

„Schreibst du uns wenigstens?", fragt Biggi traurig.

„Aber ich bin doch noch gar nicht weg!", protestiert Nadja und kämpft mit den Tränen.

Plötzlich steht ihre Mutter im Hof. „Hier hängen ja auch noch welche!", sagt sie erstaunt und betrachtet die Fotos an den Wänden im Hinterhof. „Das habt ihr wirklich großartig gemacht, einfach unglaublich! Aber kommst du bitte mal mit hoch, Nadja? Wir wollen mit dir reden." Dann geht sie wieder ins Haus.

„Alles Gute", murmelt Pascal und umarmt Nadja.

Nee, denkt Nadja, das kann sie jetzt nicht machen! Einfach auftauchen und sie abholen. Sie schaut auf Timms Armbanduhr. „Kommt ihr in zwei Stunden zum Ostbahnhof?"

„Großes Abschiedskomitee?", fragt Pascal belustigt, doch niemand lacht.

Nadja nimmt schnell die Tüte und läuft ins Haus.

43

Um Mitternacht ist der Ostbahnhof wie ausgestorben. Die Imbissbuden haben längst geschlossen. Nur der Geruch von kalten Buletten hängt noch in der Luft. Nadja sitzt auf einer Bank und schaut den leeren Bahnsteig entlang. Von ihren Freunden ist niemand zu sehen. Vielleicht wartet sie auch umsonst. Der Zug wird schon zur Abfahrt bereitgestellt, da kommen sie in letzter Minute vom Ende des Bahnsteigs her angestürmt.

Nadja wird ein wenig flau im Magen. Timm hält hinter seinem Rücken einen Rosenstrauß. Noch einen Abschied verkraftet sie heute nicht.

„Was willst du denn mit dem Gemüse?", fragt sie ihn fast ein wenig grob, als er keuchend vor ihr steht. Timm wird rot und stottert etwas.

„Das ist sein Vergissmeinnicht-Sträußchen", flötet Pascal grinsend und zieht seine Baseballkappe in die Stirn.

„Idiot", knurrt Timm.

Da pfeift der Schaffner zum Einsteigen. Nadja klettert rasch in den Zug. „Wenn ihr noch lange diskutiert, fährt er ohne uns los!"

Die drei schauen sie verständnislos an. „Wo willst du denn hin? Nach Hamburg?"

Nadja hält triumphierend vier Fahrkarten hoch. „Wir fahren ans Meer!"

Ihre Freunde stehen noch immer wie angenagelt auf dem Bahnsteig. Der Schaffner pfeift schon ein zweites Mal. Zuerst springt Timm mit seinem Strauß in den Zug, dann folgt Pascal und zum Schluss Biggi. Gemeinsam stürmen sie ein freies Abteil.

„Wo fahren wir überhaupt hin?", will Timm wissen, als sie auf die Sitzbänke fallen. In der Eile hat niemand auf das Anzeigeschild geschaut und der Zug ist längst aus dem Bahnhof gerollt.

„Na, ans Meer!", sagt Nadja. „Wollten wir da nicht hin?"

„Und wovon hast du die Fahrkarten gekauft?" Biggi fühlt sich noch immer überrumpelt und weiß nicht, was sie von der ganzen Sache halten soll.

Nadja zieht aus ihrer Jackentasche Pascals Plastetüte. „Ist sogar noch was übrig!"

Pascal stöhnt. „Oh Mann, Leute, und dafür haben wir uns abgerackert? Wenn du unbedingt an die Ostsee wolltest, hätten wir auch schwarzfahren können!"

Nadja seufzt und lehnt sich erschöpft gegen Timm, der noch immer seine Blumen auf dem Schoß hält. Mittlerweile kommt er sich schon etwas blöd damit vor, denn der Abschied fällt ja scheinbar aus. So zupft er ein paar Blütenblätter von einer Rose und steckt sie sich in den Mund. Dann hält er auch den anderen den Strauß hin. Pascal kostet misstrauisch. Für Nadja schmecken die Rosenblätter wie ein Hauch Bulgarien. Ein bittersüßer Schmerz durchzieht ihren Mund.

Nur Biggi ist nicht nach Rosen. „Jetzt erzähl doch endlich, was deine Eltern gesagt haben! Ziehst du nun nach Hamburg oder nicht?"

Nadja holt tief Luft. Ade, Bulgarien! Hatte sie wirklich gedacht, sie könnte jetzt einfach so davonfahren und vergessen, was alles passiert ist? Für einen Moment schließt sie die Augen.

Das gleichmäßige Rauschen des Zuges dringt beruhigend in ihre Ohren. Es ist vorbei. Es ist wirklich vorbei. Aber alles war umsonst gewesen, denn sie konnte nichts tun. Von Anfang an nicht. Seine Entscheidung war schon gefallen, lange bevor sie die Idee mit der Ausstellung hatten.

„Er hat sie verkauft", bricht es mit einem Mal aus ihr heraus.

„Was hat er?!" Biggi schaut sie entgeistert an.

„Er hat seine Fotos verkauft."

„Du spinnst! Das ist doch, als ob er sein Leben verkaufen würde!"

Im Abteil sagt niemand mehr ein Wort. Eine bleierne Stille breitet sich zwischen ihnen aus. Stockend beginnt Nadja zu erzählen. Von dem Koffer voller Geld und dem Amerikaner aus dem Bierlokal, dem ihr Vater zuerst ein blaues Auge verpasst hatte, als der ihm hunderttausend Mark für seine Fotos anbot.

Niemand aus ihrer Familie hat jemals so viel Geld auf einmal gesehen. Nicht mal ihre Mutter, der die Staatssicherheit damals eine Menge dafür zahlen wollte, wenn sie Nadjas Papa und dessen Freunde ausspionierte. Weil sie es ablehnte, verlor sie ihre Stelle als Chefredakteurin und hatte gar kein Geld mehr. Da waren es die Fotos, die sie über viele Jahre am Leben hielten. Bis die Grenze fiel. All das hat Nadja nicht gewusst. Ihre Eltern haben es ihr erst vorhin erzählt, weil sie sie damals nicht in Gefahr bringen wollten.

Dieser Amerikaner hat dann jedenfalls trotz seines blauen Auges nicht lockergelassen. Immer wieder ist er in die Kneipe gekommen. Er ist ein New Yorker Kunstsammler und bereist seit dem Mauerfall Osteuropa. In seinem Privatmuseum hängen schon Fotosammlungen aus dem halben Ostblock. Und demnächst auch Sachen von ihrem Papa.

Nadja spürt, wie ihr etwas den Hals zuschnürt. Sie kann einfach nicht weitererzählen.

„Wenigstens ist dein Vater da in bester Gesellschaft", sagt Pascal, der als Erster seine Sprache wiederfindet. „Mensch, New York!"

„Aber warum?", fragt Biggi.

Nadja schaut aus dem Zugfenster. Ja, warum? Weil sie nicht nach Hamburg gehen wollte und weil ihr Vater irgendwann nicht mehr wusste, wie er das Geld für sie beide zum Leben verdienen soll?

Biggi nimmt Nadja in den Arm. „Es ist nicht deine Schuld!"

Nadja ist sich da nicht so sicher. Ihr Vater hat die ganze Zeit getrunken, weil er sich nicht kaufen lassen wollte, nicht von diesem Ami. Denn das hatte nicht mal die Staatssicherheit in der DDR geschafft, ihn zu etwas zu zwingen, was er nicht wollte. Doch jetzt waren andere Zeiten. Entweder man hat Geld oder man hat keins. Und er musste sich entscheiden. Entweder er trennt sich von Nadja und ihrer Mutter – oder von seinen Fotos. Die Fotos haben schließlich verloren.

Plötzlich reißt jemand die Abteiltür auf. „Die Fahrkarten, bitte!"

Wie in Trance hält Nadja sie dem Zugschaffner entgegen. „Wo wollt ihr denn mitten in der Nacht hin?", fragt er beim Abstempeln.

„Zu unserer Oma!", erklärt Pascal.

Der Schaffner gibt Nadja die Fahrkarten zurück. „Dann viel Spaß bei der Oma." Laut knallt er die Abteiltür wieder hinter sich zu.

Biggi schaut auf ihre Armbanduhr. Es ist zwei Uhr morgens.

Pascal öffnet das Zugfenster und steckt den Kopf in die laue Nacht hinaus. „Riecht doch mal!", ruft er gegen den Fahrtwind. „Das Meer!"

Kühle Luft dringt ins Abteil. Nadja muss daran denken, wie ihr Vater vorhin immer wieder sagte, dass es seine freie Entscheidung war, die Fotos zu verkaufen. Aber warum fühlt es sich dann so verdammt schwer für sie an? Wie ein zu großes Geschenk, das sie nicht annehmen kann. Und Mama auch nicht.

„Und was macht er nun mit der ganzen Kohle?", will Pascal wissen.

Da muss Nadja anfangen zu lachen. Und sie kann gar nicht mehr aufhören. Als ob jemand in ihr Innerstes gegriffen hätte und sie schüttelt und schüttelt, bis kein Gedanke mehr in ihr bleibt, der sie an irgendetwas bindet. „Was er mit der Kohle macht?", sagt sie noch immer lachend und wischt sich die Tränen aus dem Gesicht. „Er hat sich eine neue Kamera gekauft!"

Pascal stöhnt. „In deiner Familie sind echt alle verrückt!"

„Und was ist jetzt mit Hamburg?", fragt Timm schließlich.

Nadja schaut auf ihre neuen Turnschuhe. „In zwei Wochen ziehen wir um."

„Dein Vater auch?", fragt er ungläubig.

Nadja nickt.

„Auf einmal will er doch?"

„Er war nur zu stolz, ohne einen Pfennig nach Hamburg zu gehen."

„Na, an den Pfennigen fehlt es ihm ja nun nicht mehr!" Pascal stößt Timm aufmunternd in die Seite. „Können wir jetzt endlich Ferien machen, Alter?"

Timm versucht zu lächeln. Nadja kuschelt sich an ihn. Ferien – was für ein Wort! Hat sie wirklich Ferien? Das ist schwer zu glauben.

Auf einmal ist sie unendlich müde. Sie kann sich kaum noch halten auf ihrer Sitzbank. Timm legt einen Arm um sie. So sicher hat sie sich lange nicht gefühlt. Und dann schläft sie ein.

Im Morgengrauen kommt der Zug an der Ostsee an. Sie sind die Einzigen, die aussteigen. Keine Menschenseele weit und breit. Das Meer ist nicht zu verfehlen. Es riecht und rauscht, lange bevor sie es sehen.

Nadja nimmt Timms Hand. Still laufen sie durch das schlafende Dorf. Je stärker das Meer rauscht, umso schneller gehen sie.

Und dann stehen sie endlich oben auf den Dünen. Aus der Ferne blinkt ein Leuchtturm durch den frühen Morgennebel und unter ihnen rollen die Wellen weiße Gischt ans Ufer. Sie fassen sich alle vier an den Händen und laufen schreiend los. Salzwasser spritzt ihnen ins Gesicht, als sie in die Wellen stürzen. Aber sie lachen und toben, bis schließlich alle klitschnass und erschöpft aufs Ufer fallen.

Nadja schaut in den aufgehenden Himmel, aus dem sich gerade die letzten Sterne verabschieden.

„Wir werden dich auf jeden Fall besuchen, Nadja", sagt Timm. „Versprochen."

„Bitte, keine Versprechen mehr", flüstert sie. „Kommt einfach vorbei."

Dann lässt sie sich wieder von den Wellen fangen und weit hinaustragen. Als sie sich nach einer Weile umschaut, sieht sie ihre Freunde am Ufer stehen und winken.

Nadja winkt zurück. Sie wird sie niemals vergessen.

Petra Kasch, 1964 in Königs Wusterhausen geboren, studierte Literatur- und Bibliothekswissenschaft. Heute lebt und arbeitet die Autorin in Berlin. Neben Erzählungen für Erwachsene und Drehbüchern schreibt sie auch für Kinder und Jugendliche.

Bye-bye, Berlin wurde mit einem Stipendium der Stiftung Preußische Seehandlung gefördert.